W9-AYG-846

Ucz się i pracuj
Baw się i śmiej
I zawsze dobre
Serduszko miej

mgr V. Redlinska
wych. klasy

dyrektor szkoły

POLSKA SZKOŁA IM. FRYDERYKA CHOPINA W PALATINE 1979

Palatine, 16 listopada 2014

BAJKI
DZIADZIUSIA
FENIX

Redakcja: Studio FENIX
Tłumaczenie: Łukasz Jańczyk
Korekta: Justyna Brodłowicz
Projekt okładki: Przemysław Krygier
Skład: Przemysław Krygier, Kamil Nadrowski

Copyright © XACT
Copyright © P.H.W. FENIX
Wierzchy Parzeńskie

P.H.W. FENIX
Wierzchy Parzeńskie 4
97-415 Kluki
tel. (44) 634-86-26
wydawnictwo@phwfenix.pl
www.phwfenix.pl

Wszelkie prawa zastrzeżone.
Książka ani żadna jej część nie może być powielana i rozpowszechniana, zapisywana w systemach pamięciowych lub przekazywana w jakiejkolwiek formie i w jakikolwiek sposób: elektroniczny, mechaniczny, systemu fotokopii, nagrań lub innych metod bez pisemnej zgody właściciela praw autorskich.

Wydawca niniejszej publikacji dołożył wszelkich starań, aby jej treść była zgodna z rzeczywistością, nie może jednak wziąć żadnej odpowiedzialności za jakiekolwiek skutki wynikłe z wykorzystania zawartych w niej materiałów i informacji.

ISBN: 978-83-63203-16-0

Wprowadzenie

Wielu z nas dzieciństwo kojarzy się z czasem beztroski, radosnych zabaw, szalonych przygód, ale także z ciepłem domu rodzinnego, wspólnymi wakacjami czy świętami spędzonymi w gronie najbliższych. Wspomnienia z tego okresu to także najważniejsze osoby w życiu każdego dziecka - rodzice, a zaraz za nimi dziadkowie i babcie. Często właśnie ci ostatni spędzają z najmłodszymi najwięcej czasu, który poświęcają nie tylko na opiekę czy zabawy, ale podejmują również trud wychowania nowego pokolenia. A nic tak dobrze nie wpływa na rozwój i kształtowanie charakteru dziecka, jak czytanie bajek. Aby pomóc dziadkom w tym trudnym zadaniu, jakim jest wychowywanie, a zarazem uatrakcyjnić czas spędzany z wnuczętami, wydajemy zbiór bajek i baśni pt. *Bajki dziadziusia.*

Zachęcamy gorąco do zapoznania się z zebranymi przez nas opowieściami, które należą do klasyki gatunku. Słuchając tych wspaniałych historii czytanych przez ukochanego dziadziusia, wnuczęta będą miały okazję wkroczyć w świat pełen niezwykłych przygód, dzielnych i walecznych rycerzy, pięknych dam dworu, sprawiedliwych królów i dobrych wróżek. Dowiedzą się także, czym jest dobro i zło i jak walczyć z niesprawiedliwością. Utożsamiając się z ulubioną, pozytywną postacią, nauczą się, jak należy postępować.

Dla dzieci ważne może być nie tylko wysłuchanie historii na przykład o ołowianym żołnierzyku, dzielnym krawczyku, Jasiu i Małgosi czy Kocie w butach, ale także możliwość rozmowy z dziadkiem na nurtujące dziecko tematy. Podczas wspólnych chwil spędzonych na czytaniu na pewno znajdzie się czas na wspomnienia dziadka oraz na rozmowę o tym, co uważa on w życiu za najistotniejsze.

Wspólne czytanie może stać się pretekstem do przekazania kolejnemu pokoleniu swoich wartości moralnych.

Mamy nadzieję, że książka *Bajki dziadziusia* - pełna przepięknych ilustracji, które na pewno uatrakcyjnią czytanie i dodatkowo pobudzą wyobraźnię najmłodszych czytelników – stanie się wspaniałym prezentem tak dla wnucząt, jak i dla dziadków.

“ Dzielny ołowiany żołnierzyk “

Pewnego razu było sobie dwudziestu pięciu ołowianych żołnierzyków, będących braćmi. Wszystkich bowiem wykonano z tej samej, starej, ołowianej łyżki. Pierwszą rzeczą, jaką usłyszeli, były słowa: „Ołowiane żołnierzyki!”, wykrzyknięte przez małego chłopca, który klasnął z zachwytu, gdy wieko pudełka zostało podniesione. Podarowano ich chłopcu w prezencie urodzinowym. Jednakże był pośród nich żołnierzyk, który miał tylko jedną nogę. Można było go łatwo rozpoznać i każdy zwał go dzielnym.

Stół, na którym stały ołowiane żołnierzyki, był zastawiony innymi zabawkami. Jednak najbardziej cieszył oko ładny, mały papierowy zamek. Przez małe okienka można było dostrzec pokoje. Wszystko to było piękne, ale najpiękniejsza była mała, papierowa dama, która stała w otwartych drzwiach zamku. Mała dama była baletnicą i unosiła swoją nogę tak wysoko, że dzielny ołowiany żołnierzyk nie mógł jej w ogóle dostrzec. Myślał, że baletnica również ma tylko jedną nogę. "Ona będzie moją żoną" – pomyślał i próbował się z nią zaprzyjaźnić. Kiedy dzieci przyszły kolejnego dnia, umieściły ołowianego żołnierzyka w oknie. Nagle okno otworzyło się z hukiem, a żołnierzyk wypadł na ulicę. Mały chłopiec i jego służąca zeszli na dół, aby szukać go, lecz nigdzie nie mogli go znaleźć. Nie zauważyli żołnierzyka, chociaż raz by na niego nadepnęli. Mógł krzyknąć: „Tutaj jestem!" i wszystko skończyłoby się dobrze, lecz był zbyt dumny, by prosić o pomoc, nosił przecież mundur. Niebawem nastała ulewa, a kiedy się skończyła, dwaj chłopcy wybrali się na spacer. Na ulicy znaleźli żołnierzyka i jeden z nich zawołał:
- Popatrz, tu jest ołowiany żołnierzyk! Powinien mieć łódź do swoich wycieczek.

Zrobili więc łódź z gazety, umieścili w niej ołowianego żołnierzyka i wysłali go w rejs po rynsztoku. Chłopcy biegli obok niego, klaszcząc w ręce. Nagle łódź wpadła pod most, będący częścią studzienki kanalizacyjnej i ołowiany żołnierzyk znalazł się w całkowitej ciemności. Na końcu tunelu, przez stromy uskok, studzienka wpadała do dużego kanału. Łódź zakręciła się trzy czy cztery razy, następnie wypełniła się wodą po brzegi i zaczęła tonąć. Żołnierzyk stał po szyję w wodzie, gdy łódź coraz bardziej tonęła, a papier stawał się coraz bardziej delikatny i miękki od wilgoci.
W końcu żołnierzyk znalazł się całkowicie pod wodą.

Niebawem łódź rozpadła się na kawałki i zaraz potem żołnierzyk został pożarty przez olbrzymią rybę. Zbieg okoliczności sprawił, że ryba została złapana, zabrana na targ i sprzedana do kuchni tego samego domu, w którym żyły inne żołnierzyki. Dzielny ołowiany żołnierzyk znalazł się w tym samym pomieszczeniu, w którym na stole były znane mu zabawki. Jeszcze raz zobaczył przepiękny zamek z szykowną, małą tancerką u jego drzwi. Baletnica wciąż balansowała na jednej nodze, z uniesioną drugą wyglądała tak jak dawniej. Niefortunnie jeden z małych chłopców wziął ołowianego żołnierzyka i wrzucił go do kominka. Żołnierzyk spojrzał na małą damę, a ona spojrzała na niego. Poczuł jak się topi, lecz pozostał z bronią na ramieniu, jak dawniej dumny i pewny siebie.

Nagle drzwi pomieszczenia otworzyły się z hukiem, a podmuch powietrza złapał małą baletnicę, która uleciała jak zjawa prosto do kominka i upadła nieopodal dzielnego żołnierzyka. Płomień porwał ją w objęcia. Ołowiany żołnierzyk stopił się w bryłę. Następnego ranka, gdy służąca wyjęła popiół z piecyka, odnalazła go w postaci małego ołowianego serca. Mała baletnica zmieniła się w różę.

“ Latający kufer “

Pewnego razu był sobie kupiec. Po jego śmierci syn odziedziczył fortunę ojca i rozpoczął szczęśliwe życie, korzystając z pieniędzy, jakie zostawił mu ojciec. Jednakże wkrótce stracił je wszystkie z powodu swojej rozrzutnej natury. Kiedy był już bez grosza, opuścili go wszyscy jego przyjaciele. Jednak jeden z nich, o bardzo dobrym charakterze, wysłał mu starą skrzynię z wiadomością: „Pakuj się!”.

- Tak - odpowiedział z pogardą syn kupca - bardzo łatwo jest powiedzieć: „Pakuj się!”. Nie miał już bowiem nic, co mógłby spakować. Usiadł więc w skrzyni, zamknął wieko i zatrzasnął zamek. Niebawem skrzynia wyleciała przez komin wraz z nim i powędrowała ku przestworzom. Po długiej podróży dotarł bezpiecznie do tureckich ziem. Schował skrzynię w lesie, pod suchymi liśćmi i wybrał się do miasta. Spotkał tam pielęgniarkę z małym dzieckiem. Opowiedziała mu o zamku w pobliżu miasta, z umieszczonymi wysoko oknami. Żył w nim król wraz ze swoją piękną córką. Syn kupca podziękował jej za informację i powędrował z powrotem do lasu. Usiadł w skrzyni, poleciał wysoko ku dachowi zamku i wkradł się przez okno do pokoju księżniczki. Przepiękna księżniczka leżała na sofie i spała. Była tak piękna, że syn kupca nie mógł się powstrzymać i pocałował ją. Kiedy księżniczka poczuła pocałunek, obudziła się i bardzo się przestraszyła.

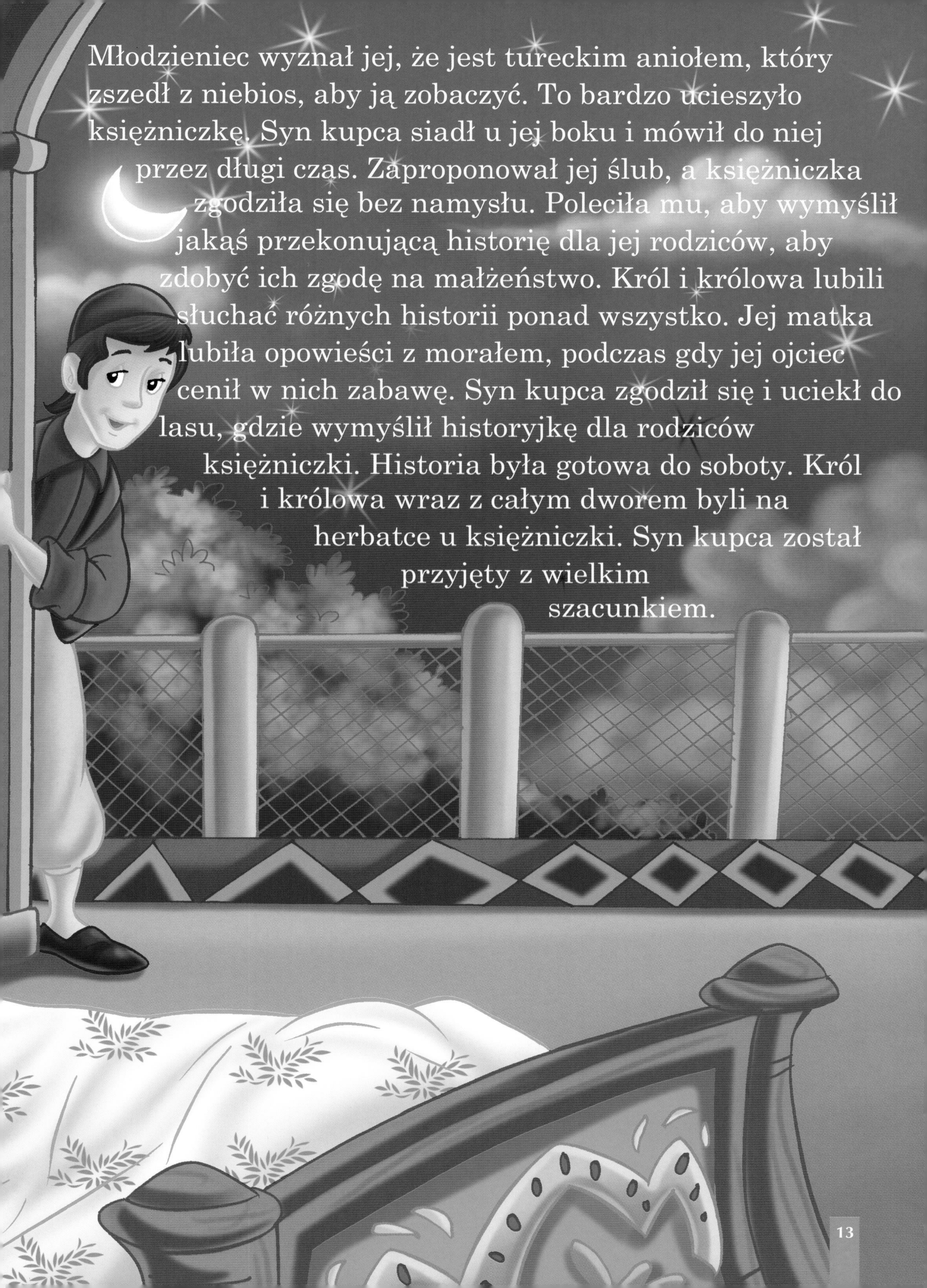

Młodzieniec wyznał jej, że jest tureckim aniołem, który zszedł z niebios, aby ją zobaczyć. To bardzo ucieszyło księżniczkę. Syn kupca siadł u jej boku i mówił do niej przez długi czas. Zaproponował jej ślub, a księżniczka zgodziła się bez namysłu. Poleciła mu, aby wymyślił jakąś przekonującą historię dla jej rodziców, aby zdobyć ich zgodę na małżeństwo. Król i królowa lubili słuchać różnych historii ponad wszystko. Jej matka lubiła opowieści z morałem, podczas gdy jej ojciec cenił w nich zabawę. Syn kupca zgodził się i uciekł do lasu, gdzie wymyślił historyjkę dla rodziców księżniczki. Historia była gotowa do soboty. Król i królowa wraz z całym dworem byli na herbatce u księżniczki. Syn kupca został przyjęty z wielkim szacunkiem.

- Czy opowie nam pan historię pouczającą i pełną wiedzy?
- spytała królowa.
- I taką, z której można się będzie śmiać - powiedział król.
Syn kupca w rzeczy samej opowiedział im przepiękną historię, która rozbawiła króla, a królową skłoniła do rozmyślania nad jej głębokim sensem.
- Powinieneś poślubić naszą córkę - powiedziała królowa zauroczona synem kupca.
- Oczywiście! -powiedział król. - Ten młodzieniec powinien zostać mężem naszej córki.
Niebawem ustalono datę ślubu, a dzień wcześniej całe miasto zostało wspaniale oświetlone.
- Sprawię im kolejną przyjemność - postanowił syn kupca.

Poszedł więc i kupił race, petardy i fajerwerki wszelkiego typu, o jakich tylko mógł marzyć. Następnie spakował je do skrzyni i poleciał z nimi w przestworza.

Będąc bardzo wysoko nad miastem, odpalili petardy, aby je podziwiano i cieszono się nimi. Jakiż robiły one świst i hałas, kiedy zostały odpalone! Turcy, widząc takie dziwy w powietrzu, podskakiwali tak wysoko, że ich buty ulatywały na wysokość uszu. Nikogo nie dziwiło, że księżniczka chciała poślubić tureckiego anioła. Niebawem, zaraz po fajerwerkach, syn kupca wzleciał w swojej skrzyni do lasu. Usłyszał wiele innych cudownych rzeczy na swój temat. Kolejnego dnia miał odbyć się ślub jego i księżniczki. Postanowił wybrać się z powrotem do lasu, aby odpocząć w skrzyni przed tym ważnym wydarzeniem. Na nieszczęście skrzynia zniknęła! Iskra z fajerwerków wywołała pożar i skrzynia spłonęła doszczętnie. Syn kupca nie mógł więcej latać ani też pokazać się pannie młodej i jej rodzicom. Księżniczka czekała na niego na dachu całe dnie. Mówi się, że po dziś dzień czeka. A syn kupca nadal chodzi po świecie i opowiada bajki.

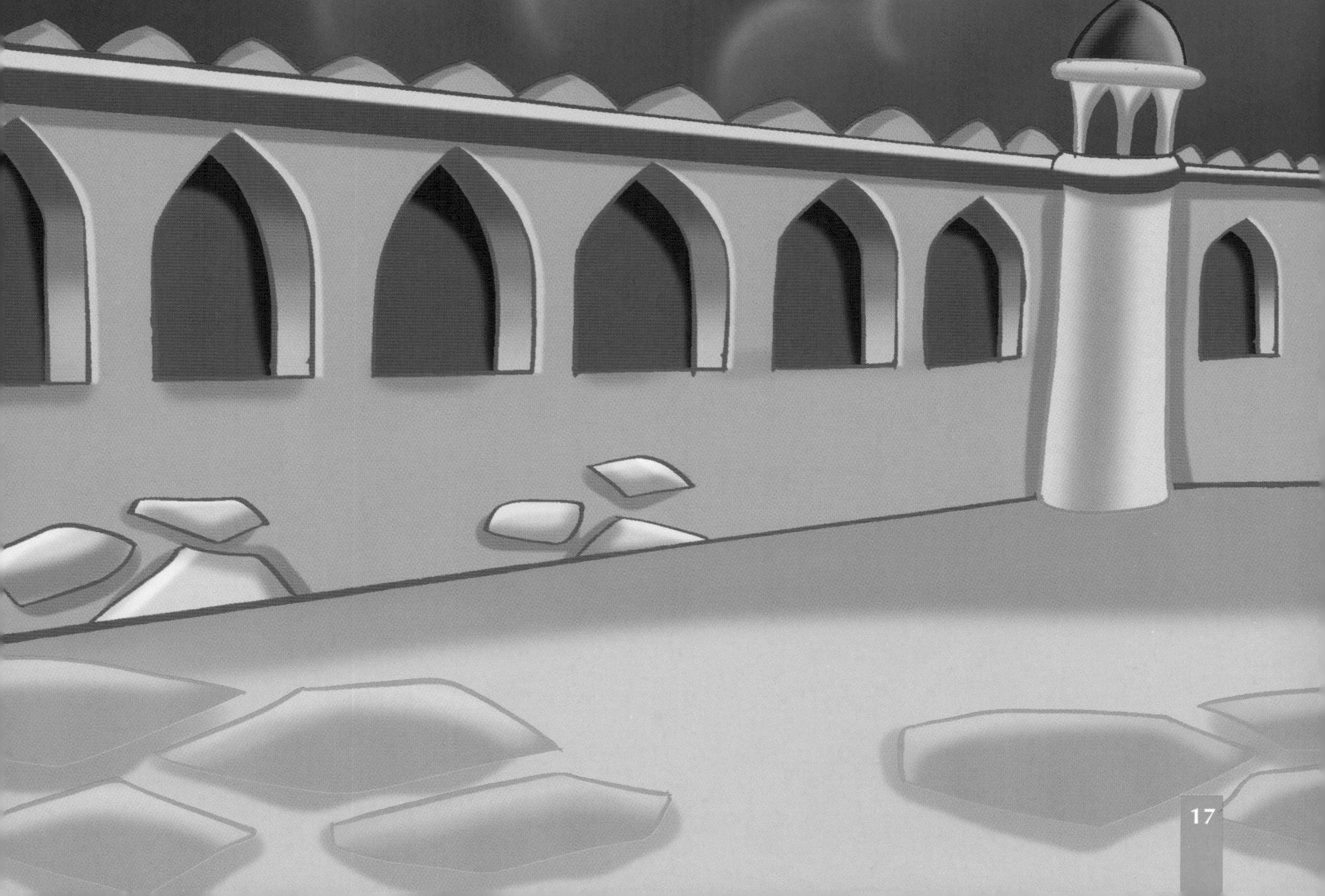

" Osioł i muł "

Pewnego razu żył sobie gospodarz, który miał osła i muła. Jednego razu wyruszył w podróż, prowadząc przed sobą osła i muła, ciężko obładowanych. Osioł, tak długo jak szedł po płaskim terenie, niósł swój ładunek z łatwością, lecz gdy zaczął się wspinać stromą, górską ścieżką, poczuł, że jest za bardzo obładowany.

Zatroskany, zapytał swojego towarzysza, czy ten uwolni go od części ciężaru, który mógłby nieść przez resztę drogi. Muł jednak nie zwracał uwagi na jego prośby. Wkrótce osioł padł martwy pod ciężarem, którym był obarczony. Gospodarz nie wiedział, co zrobić w tej wielkiej głuszy i obarczył dodatkowo muła ładunkiem, który niósł osioł,
a na tym wszystkim położył skórę osła. Muł, marudząc pod wielkim ciężarem, powiedział do siebie:
- Jestem traktowany tak, jak na to zasługuję. Gdybym tylko był chętny pomóc osłu w potrzebie, nie musiałbym teraz nieść jego ładunku wraz z nim samym.

LEPIEJ ZAPOBIEGAĆ NIŻ LECZYĆ

" Mrówka i gołąb "

Pewnego dnia gołąb usiadł na drzewie, w pobliżu rzeki. Mrówka szła wzdłuż nabrzeża. Nagle wpadła do wody. Próbowała się z niej wydostać, lecz nie mogła. Gołąb zauważył mrówkę i próbował ją ratować. Podniósł liść i rzucił go mrówce do wody. Mrówka powoli weszła na liść i niebawem dotarła do brzegu. W ten sposób gołąb uratował mrówkę przed niebezpieczeństwem. Minęła godzina. Gołąb siedział nadal na gałęzi drzewa. Nieopodal przechodził myśliwy, który spostrzegł ptaka. Napiął łuk i był gotowy do strzału. Biedny ptak był w niebezpieczeństwie, ponieważ nie widział myśliwego. Na szczęście dostrzegła go mrówka, która, chcąc ocalić kolegę, powoli podeszła do myśliwego i ugryzła go w nogę. Myśliwy z bólu upuścił strzałę i łuk, a gołąb w tym czasie uciekł. Od tamtego czasu gołąb i mrówka żyli jako przyjaciele.

DOBRY UCZYNEK ZOSTANIE ODWZAJEMNIONY

„ Jaś i Małgosia ”

Pewnego razu w małym domku w lesie żył sobie biedny drwal wraz ze swoimi dziećmi, Jasiem i Małgosią. Jego druga żona często źle traktowała dzieci i zawsze karciła drwala.

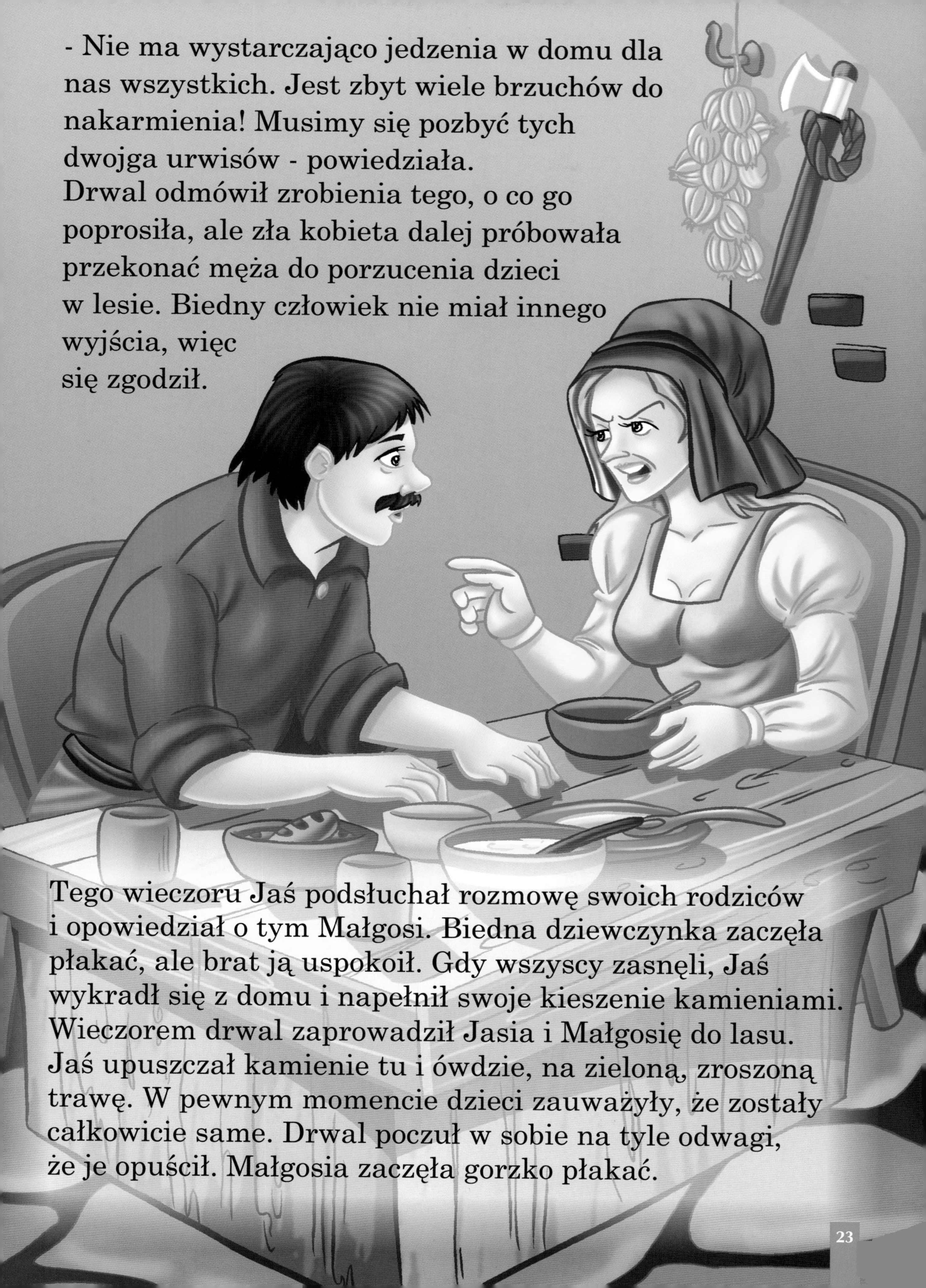

- Nie ma wystarczająco jedzenia w domu dla nas wszystkich. Jest zbyt wiele brzuchów do nakarmienia! Musimy się pozbyć tych dwojga urwisów - powiedziała. Drwal odmówił zrobienia tego, o co go poprosiła, ale zła kobieta dalej próbowała przekonać męża do porzucenia dzieci w lesie. Biedny człowiek nie miał innego wyjścia, więc się zgodził.

Tego wieczoru Jaś podsłuchał rozmowę swoich rodziców i opowiedział o tym Małgosi. Biedna dziewczynka zaczęła płakać, ale brat ją uspokoił. Gdy wszyscy zasnęli, Jaś wykradł się z domu i napełnił swoje kieszenie kamieniami. Wieczorem drwal zaprowadził Jasia i Małgosię do lasu. Jaś upuszczał kamienie tu i ówdzie, na zieloną, zroszoną trawę. W pewnym momencie dzieci zauważyły, że zostały całkowicie same. Drwal poczuł w sobie na tyle odwagi, że je opuścił. Małgosia zaczęła gorzko płakać.

- Daj mi rękę - powiedział Jaś- dostaniemy się bezpiecznie do domu, zobaczysz!
Małe, białe kamyki pobłyskiwały w świetle księżyca i dzieci odnalazły drogę do domu. Wkradły się przez na wpół otwarte okno, nie budząc rodziców. Zmarznięte, zmęczone, ale szczęśliwe, że są znów w domu, zasnęły w swoich łóżkach.
Następnego dnia, gdy macocha odkryła, że Jaś i Małgosia powrócili, wpadła w gniew. Zrozpaczony drwal próbował protestować, rozdarty pomiędzy wstydem i strachem z powodu niedotrzymania obietnicy danej żonie.
Szalona macocha trzymała Jasia i Małgosię pod kluczem przez cały dzień, nie dając im nic, poza łykiem wody i kawałkiem czerstwego chleba na kolację. Żona i mąż kłócili się całą noc, a gdy nastał poranek, drwal wyprowadził dzieci do lasu.

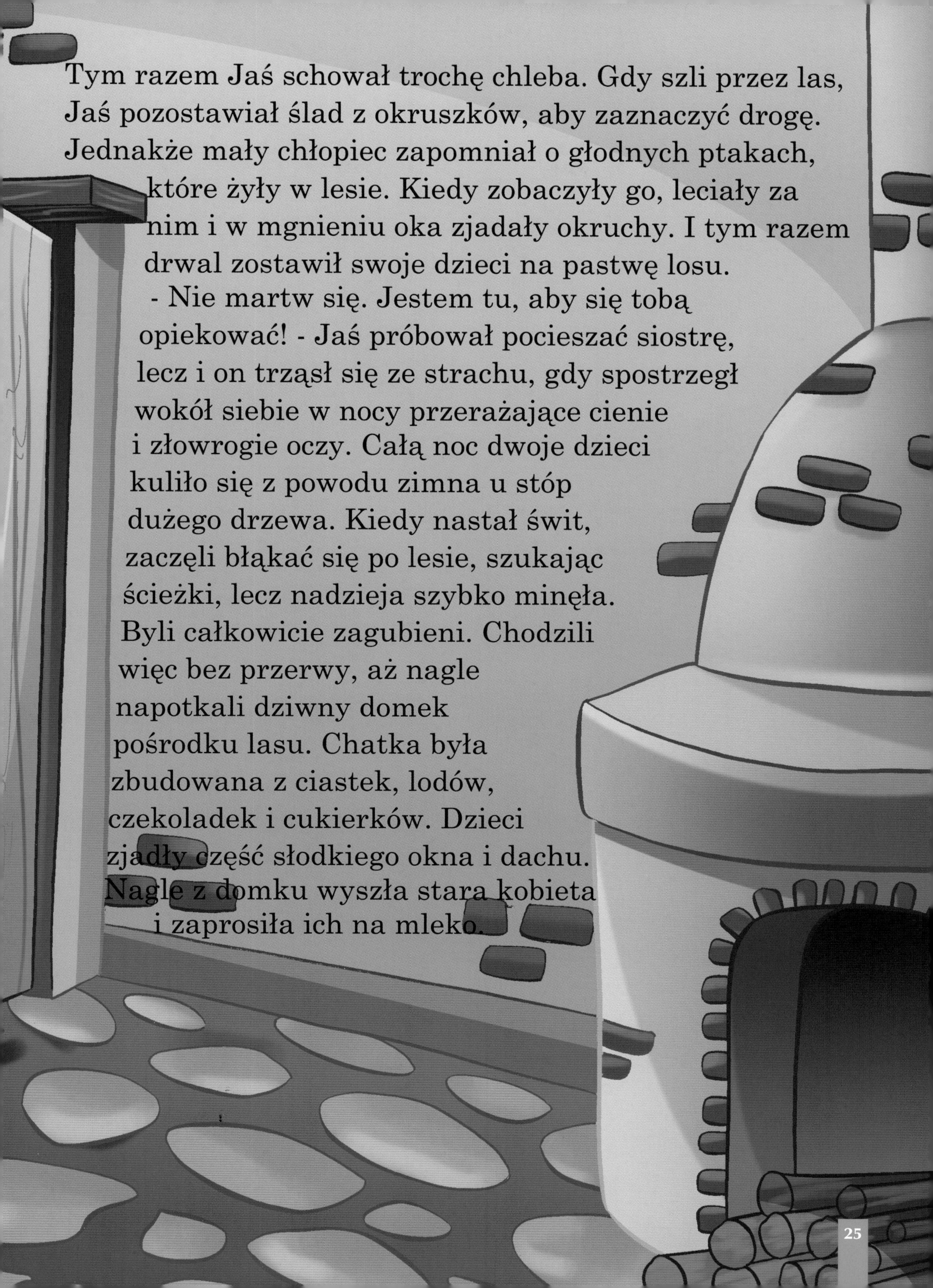

Tym razem Jaś schował trochę chleba. Gdy szli przez las, Jaś pozostawiał ślad z okruszków, aby zaznaczyć drogę. Jednakże mały chłopiec zapomniał o głodnych ptakach, które żyły w lesie. Kiedy zobaczyły go, leciały za nim i w mgnieniu oka zjadały okruchy. I tym razem drwal zostawił swoje dzieci na pastwę losu.

- Nie martw się. Jestem tu, aby się tobą opiekować! - Jaś próbował pocieszać siostrę, lecz i on trząsł się ze strachu, gdy spostrzegł wokół siebie w nocy przerażające cienie i złowrogie oczy. Całą noc dwoje dzieci kuliło się z powodu zimna u stóp dużego drzewa. Kiedy nastał świt, zaczęli błąkać się po lesie, szukając ścieżki, lecz nadzieja szybko minęła. Byli całkowicie zagubieni. Chodzili więc bez przerwy, aż nagle napotkali dziwny domek pośrodku lasu. Chatka była zbudowana z ciastek, lodów, czekoladek i cukierków. Dzieci zjadły część słodkiego okna i dachu. Nagle z domku wyszła stara kobieta i zaprosiła ich na mleko.

Dzieci bez wahania weszły do środka razem z nią, nie wiedząc, że stara kobieta była wiedźmą. Zamknęła Jasia w klatce i zmusiła Małgosię do wykonywania wszystkich prac domowych. Wiedźma zaplanowała, że będzie karmiła Jasia tak długo, aż stanie się gruby i wtedy będzie mogła go zjeść. Minęło kilka dni. Wiedźma zwykła dawać Jasiowi dobre jedzenie, a Małgosię trzymała przy życiu jedynie o chlebie i wodzie. Szczęśliwym zbiegiem okoliczności wiedźma posiadała bardzo słaby wzrok. Jaś mógł więc zmylić ją, pozwalając dotknąć kurzą kość, aby uwierzyła, że nie przybiera on na wadze.

Kiedy wiedźma zmęczyła się oczekiwaniem,
aż Jaś przybierze na wadze, powiedziała:
- Jesteś nadal o wiele za chudy! Dzisiaj zrobię z ciebie jedzenie, niezależnie od tego ile ważysz.
Wiedźma rozkazała Małgosi, by napaliła w piecu a sama zaplanowała posiłek z dwójki dzieci.
Małgosia znała jej plan i odpowiedziała:
- Nie wiem, jak mocno rozgrzać ogień. Czy mogłabyś mi pokazać, jak to zrobić, abym cię nie zawiodła.
Kiedy wściekła wiedźma zbliżyła się do pieca, Małgosia wepchnęła ją do środka i podpaliła ogień.

Wypuściła brata i oboje znów cieszyli się wolnością. Siostra i brat spostrzegli, że domek wiedźmy był pełen kosztowności. Wypełnili skrzynię drogocennymi klejnotami i złotem i wyruszyli do domu. Podczas nieobecności dzieci ich macocha opuściła ojca. Rodzeństwo dotarło do domu i uścisnęło ojca ze łzami w oczach.

- Wasza macocha odeszła. Obiecuję wam, że już nigdy w życiu was nie opuszczę – powiedział.

Dzieci pokazały również skarby, które przyniosły ze sobą z domku wiedźmy. Od tej chwili ojciec i dzieci żyli długo i szczęśliwie.

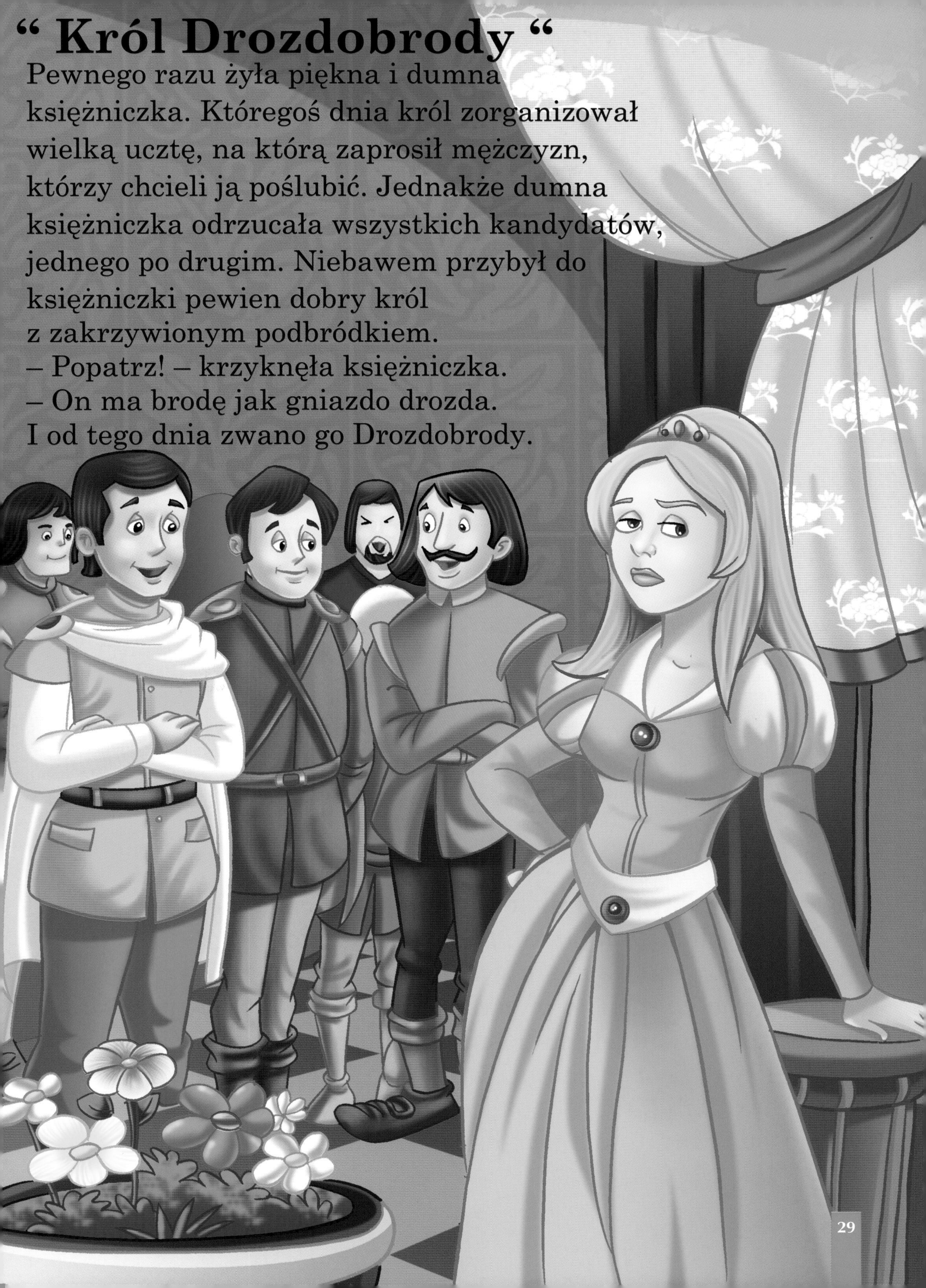

“ Król Drozdobrody “

Pewnego razu żyła piękna i dumna księżniczka. Któregoś dnia król zorganizował wielką ucztę, na którą zaprosił mężczyzn, którzy chcieli ją poślubić. Jednakże dumna księżniczka odrzucała wszystkich kandydatów, jednego po drugim. Niebawem przybył do księżniczki pewien dobry król z zakrzywionym podbródkiem.
– Popatrz! – krzyknęła księżniczka.
– On ma brodę jak gniazdo drozda.
I od tego dnia zwano go Drozdobrody.

Kiedy król uświadomił sobie, że księżniczka ośmiesza starających się o jej rękę, bardzo się zezłościł. Gdy wszyscy kandydaci wyszli, powiedział swojej córce, że wyda ją za mąż za pierwszego żebraka, który zjawi się w pałacu. Zrządzeniem losu, w zamku pojawił się żebrak i król wydał swoją córkę za mąż właśnie za niego. Małżonkowie wyprowadzili się z pałacu i rozpoczęli wędrówkę w poszukiwaniu miejsca do życia. Dotarli do lasu.

Żebrak powiedział, że miejsce to należy do króla Drozdobrodego. Słysząc to, księżniczka pomyślała:
- Oh, ja biedna, gdybym tylko zaakceptowała króla Drozdobrodego, nie cierpiałabym tak.
W końcu dotarli do małej chatki, gdzie w wielkiej nędzy rozpoczęli nowe życie. Księżniczka sama musiała wykonywać wszystkie prace domowe. Żyli w ten sposób kilka miesięcy. Niebawem jednak ich zapasy się skończyły. Wtedy biedak powiedział:
- Żono, nie możemy żyć dalej, jedząc i pijąc, a nie zarabiając niczego. Będziesz plotła kosze, a ja będę je sprzedawał. Wyszedł, uciął kilka wierzb i przyniósł je do domu. Księżniczka zaczęła pleść kosze, ale wierzbowe gałązki pokaleczyły jej delikatne ręce.
- Widzę, że nic z tego nie będzie – powiedział żebrak – lepiej by było, gdybyś przędła, może to będzie ci lepiej wychodziło. Zaczęła prząść, ale twarde włókno wkrótce pocięło jej ręce.

- Widzisz - powiedział mężczyzna - nie potrafisz wykonywać żadnej pracy, nie przynosisz mi pożytku. Teraz spróbuję wyrabiać naczynia i garnki. Będziesz musiała siedzieć na rynku i sprzedawać je. Jednakże księżniczka nie sprawdzała się i w tej pracy. Najęła się więc jako pomoc kuchenna w królewskim pałacu, który należał do króla Drozdobrodego. Księżniczka postanowiła ukryć przed nim swoją tożsamość.

Prawdę mówiąc, była zawstydzona wyśmiewaniem się z króla i odrzuceniem jego propozycji małżeństwa. Teraz została zmuszona do wykonywania najgorszych prac. W obu kieszeniach pozaszywała małe słoiczki, w których nosiła do domu zarobione pieniądze przeznaczone na życie i z nich utrzymywała się razem ze swoim mężem, żebrakiem.

Minęło kilka dni i została wydana uczta z okazji ślubu króla Drozdobrodego. Biedna księżniczka stała w pobliżu drzwi i podglądała przyjęcie. Gdy wszystkie światła zostały zapalone, pomyślała o swojej przeklętej dumie i wyniosłości, które ją doprowadziły do prostego życia i biedy. Nagle wszedł król Drozdobrody.
Powitali go wszyscy ludzie na dziedzińcu.

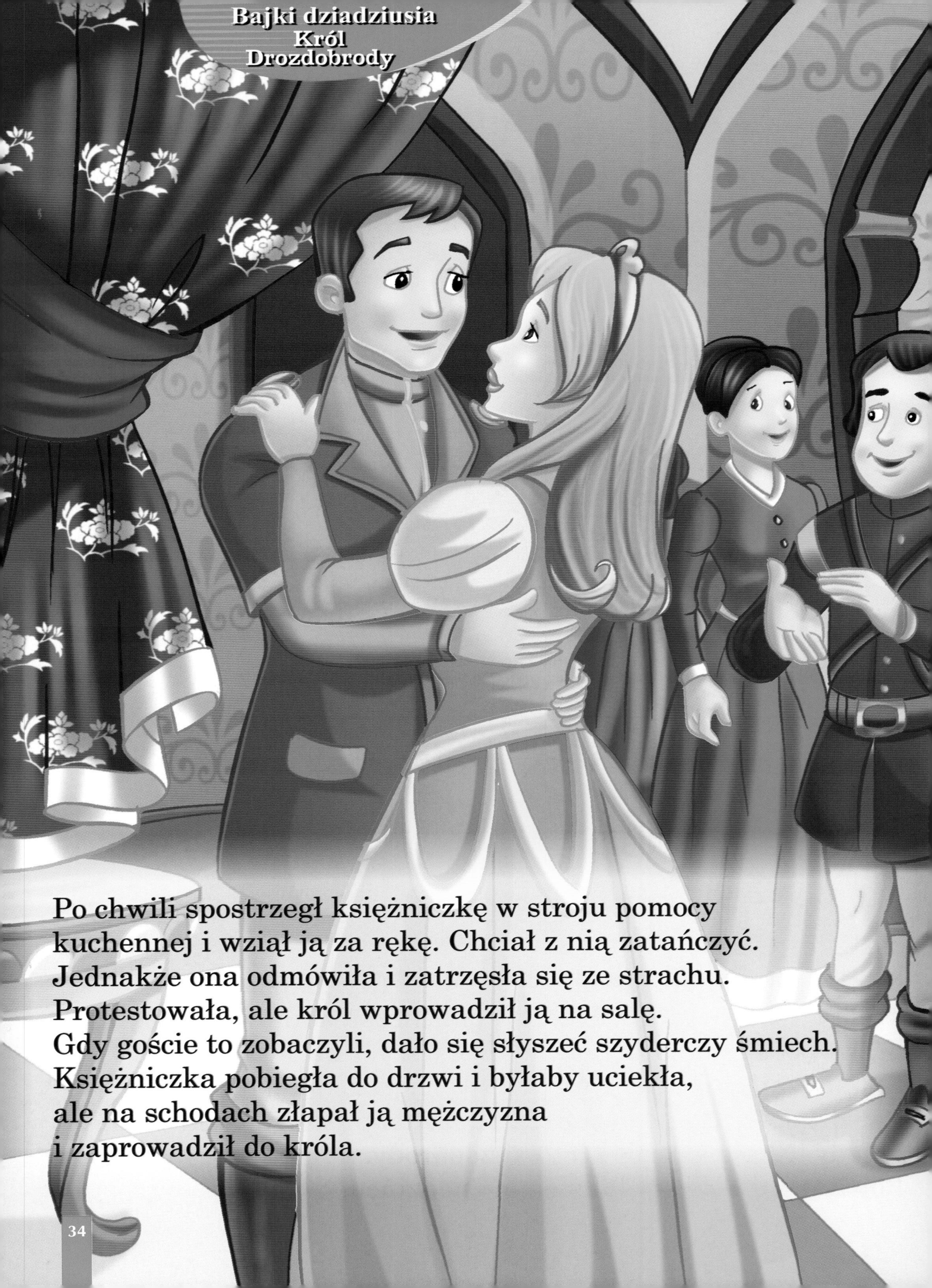

Po chwili spostrzegł księżniczkę w stroju pomocy
kuchennej i wziął ją za rękę. Chciał z nią zatańczyć.
Jednakże ona odmówiła i zatrzęsła się ze strachu.
Protestowała, ale król wprowadził ją na salę.
Gdy goście to zobaczyli, dało się słyszeć szyderczy śmiech.
Księżniczka pobiegła do drzwi i byłaby uciekła,
ale na schodach złapał ją mężczyzna
i zaprowadził do króla.

Powiedział do niej miło:
- Nie obawiaj się, ja i żebrak, który żył z tobą w tej przeklętej norze, to ta sama osoba. Ukryłem się w ten sposób dla naszej miłości. Zrobiłem to, by złagodzić twoją dumę i aby ukarać cię za wyśmiewanie, które było dla mnie obrazą.

Wtedy księżniczka zapłakała gorzko i powiedziała:
- Zrobiłam wiele złego i nie jestem godna, aby zostać twoją żoną.

Jednakże on odpowiedział:
- Czuj się spokojna, złe czasy minęły, teraz będziemy świętować nasz ślub.

Wtedy to oczekujące służące przyszły i ubrały ją w najwytworniejsze ubrania.

Po ślubie i hucznym weselu oboje żyli długo i szczęśliwie.

" Mysz wiejska i mysz miejska "

Mysz wiejska pewnego razu zaprosiła swojego przyjaciela, by przyszedł i odwiedził ją w jej domku pośród pól. Mysz miejska przybyła i zasiedli do kolacji z jęczmienia i korzonków, które miały silny posmak ziemi.

- Mój biedny przyjacielu, żyjesz tutaj nie lepiej niż mrówki – powiedziała mysz miejska.

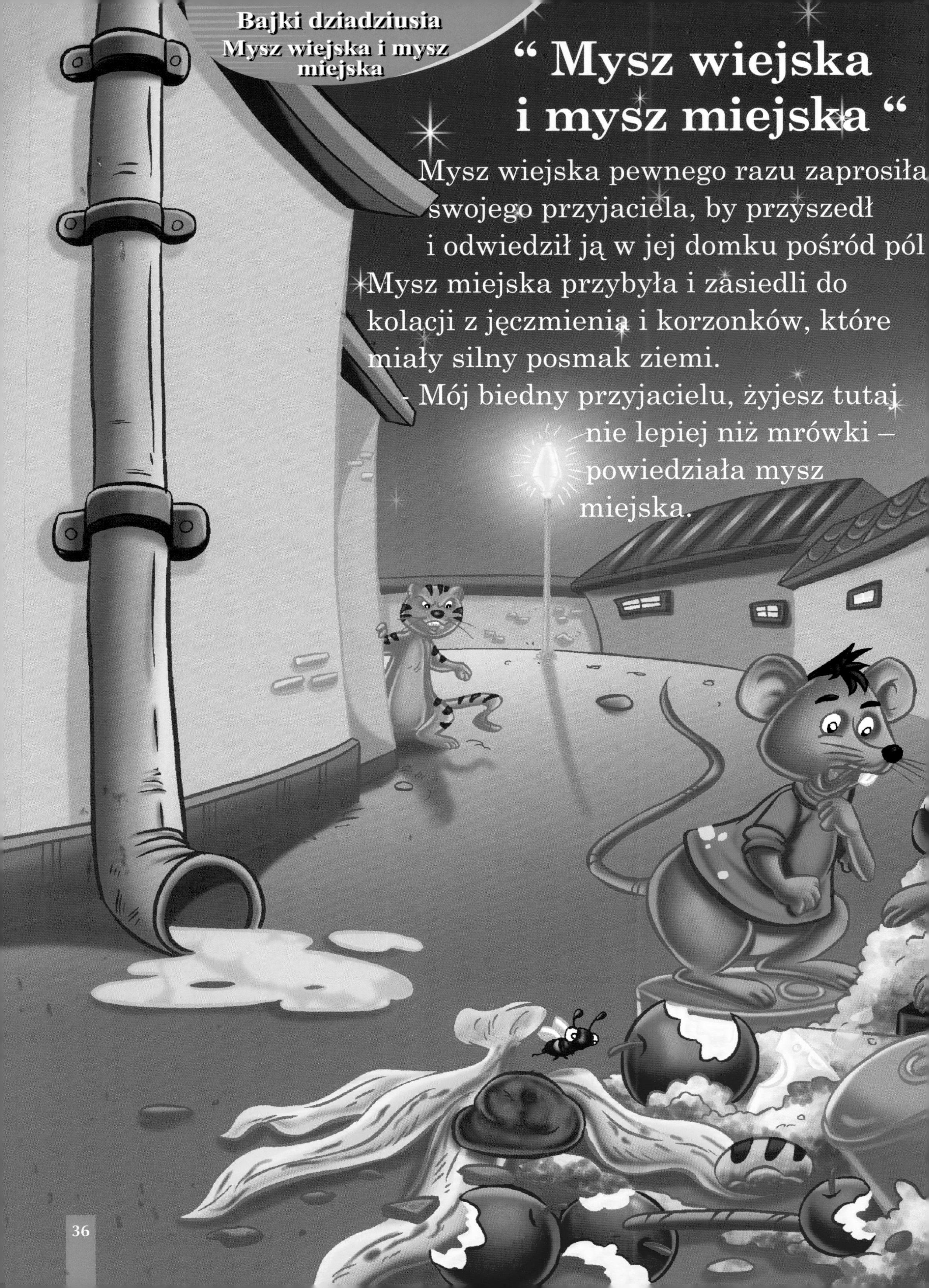

- Teraz musisz zobaczyć, jak ja żyję! Przyjdź do mnie i zostań, a obiecuję ci, że będziesz żył w dobrobycie. Gdy mysz powróciła do miasta, wzięła ze sobą mysz wiejską i pokazała jej spiżarnię pełną mąki, owsianki, miodu i daktyli. Mysz wiejska zasiadła, by skosztować smakołyków, lecz ledwie zaczęła, drzwi otworzyły się i ktoś wszedł. Obie myszy uciekły i schowały się w wąskiej norze. Gdy wszystko ucichło, wyszły ponownie, lecz znów ktoś wszedł i musiały uciekać.
- Do widzenia – powiedziała mysz wiejska. - Odchodzę. Widzę, że żyjesz w dobrobycie, lecz jesteś w ciągłym niebezpieczeństwie. U siebie w domu mogę w spokoju rozkoszować się moim zwykłym obiadem z korzeni i kukurydzy.

WSZĘDZIE DOBRZE, ALE W DOMU NAJLEPIEJ

“ Skąpiec “

Pewnego razu żył sobie skąpiec. Sprzedał on wszystko, co posiadał i kupił za to sztabkę złota. Zakopał ją głęboko w ziemi, w pobliżu studni. Myśląc, że wszystkie jego pieniądze są bezpieczne, udał się na odpoczynek. Każdego dnia zwykł odkopywać sztabkę i cieszyć się jej widokiem. Jeden z jego pracowników zauważył te częste odwiedziny koło studni i postanowił zaobserwować, co się tam znajduje. Niebawem znalazł sekretną kryjówkę, wykopał sztabkę złota i ukradł ją. Skąpiec przy następnej wizycie odkrył, że dół jest pusty i zaczął wydzierać sobie włosy z głowy i głośno lamentować.
Sąsiad, widząc go przepełnionego żałością, powiedział:
- Módl się, a nie żałuj. Weź kamień, umieść go w dziurze i udawaj, że złoto nadal tam leży. Będzie to miało dla ciebie takie samo znaczenie. Gdy złoto tam leżało, i tak go nie miałeś, ponieważ nie uczyniłeś z niego najmniejszego pożytku.

SKĄPY DWA RAZY TRACI

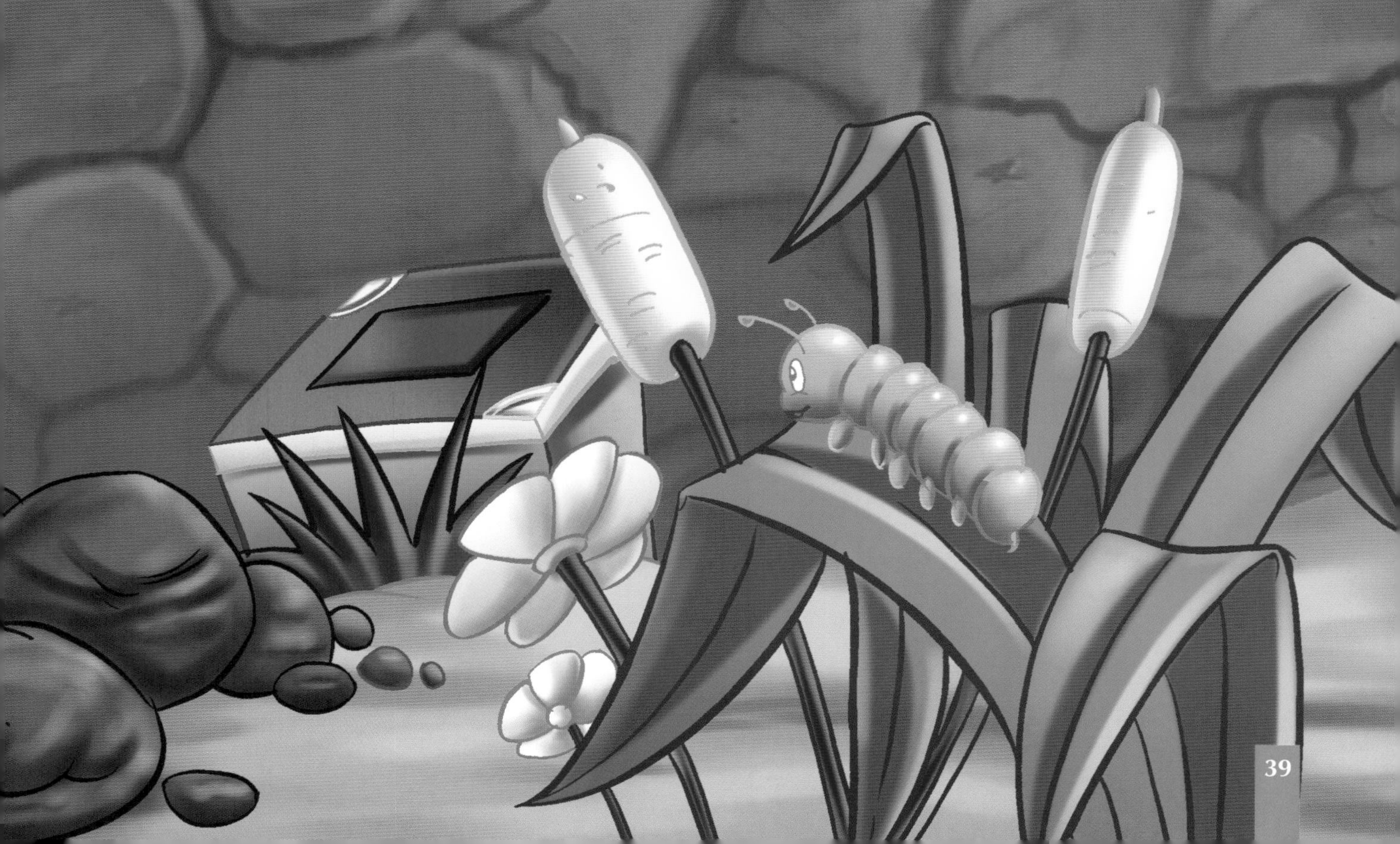

" Złoty ptak "

Pewnego razu żył sobie król, który miał przepiękny ogród, a w nim drzewa, które rodziły złote jabłka. Jabłka te były codziennie liczone. Gdy były już prawie dojrzałe, spostrzeżono, że każdej nocy jedno z nich znikało. Król bardzo się zdenerwował i zarządził, by ogrodnik trzymał całą noc straż pod drzewem. Synowie króla również pilnowali drzewa. Pierwszych dwóch zasnęło. Trzeci z kolei starał się z całych sił, aby pozostać czujnym.

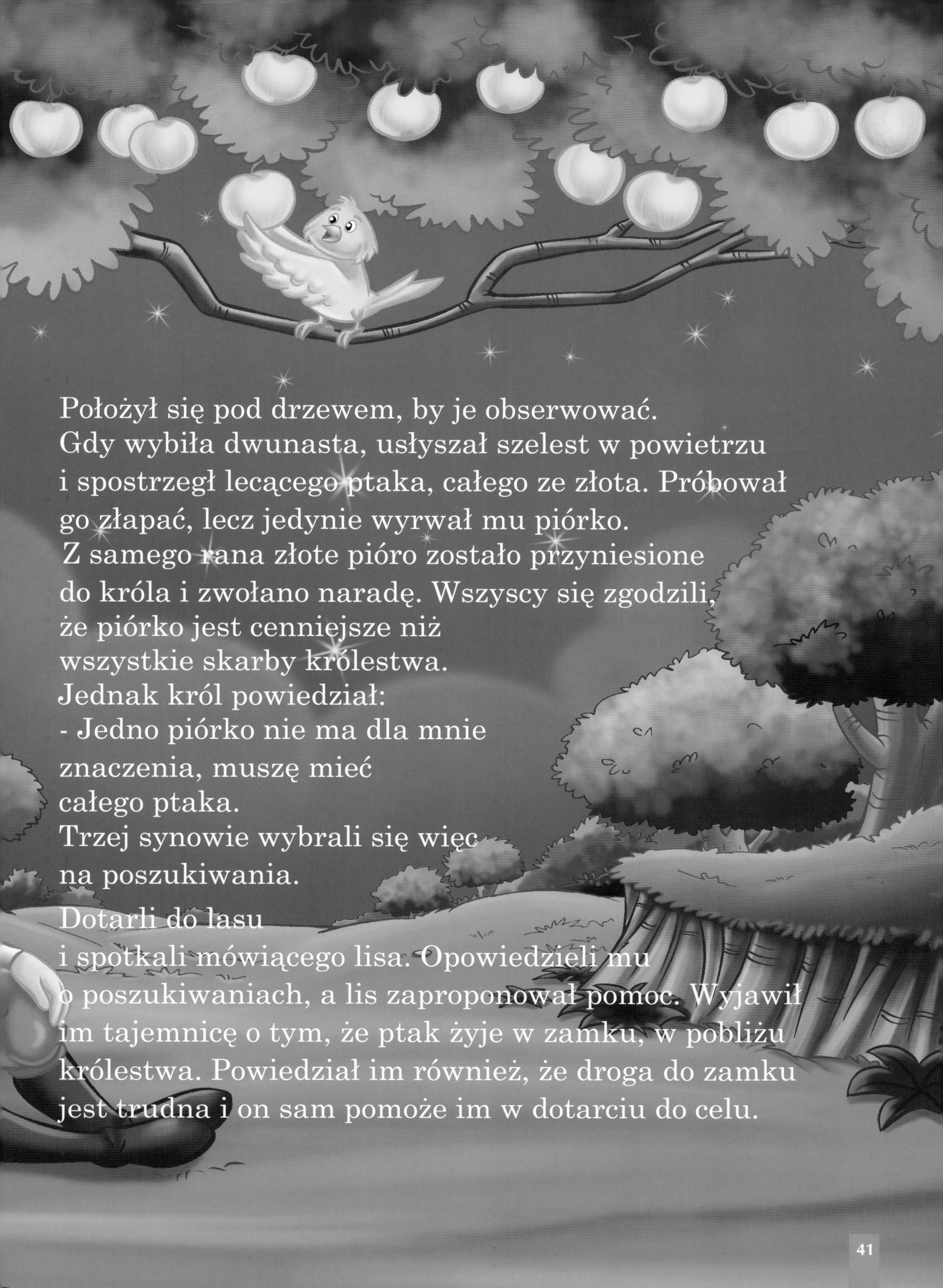

Położył się pod drzewem, by je obserwować.
Gdy wybiła dwunasta, usłyszał szelest w powietrzu i spostrzegł lecącego ptaka, całego ze złota. Próbował go złapać, lecz jedynie wyrwał mu piórko.
Z samego rana złote pióro zostało przyniesione do króla i zwołano naradę. Wszyscy się zgodzili, że piórko jest cenniejsze niż wszystkie skarby królestwa.
Jednak król powiedział:
- Jedno piórko nie ma dla mnie znaczenia, muszę mieć całego ptaka.
Trzej synowie wybrali się więc na poszukiwania.
Dotarli do lasu i spotkali mówiącego lisa. Opowiedzieli mu o poszukiwaniach, a lis zaproponował pomoc. Wyjawił im tajemnicę o tym, że ptak żyje w zamku, w pobliżu królestwa. Powiedział im również, że droga do zamku jest trudna i on sam pomoże im w dotarciu do celu.

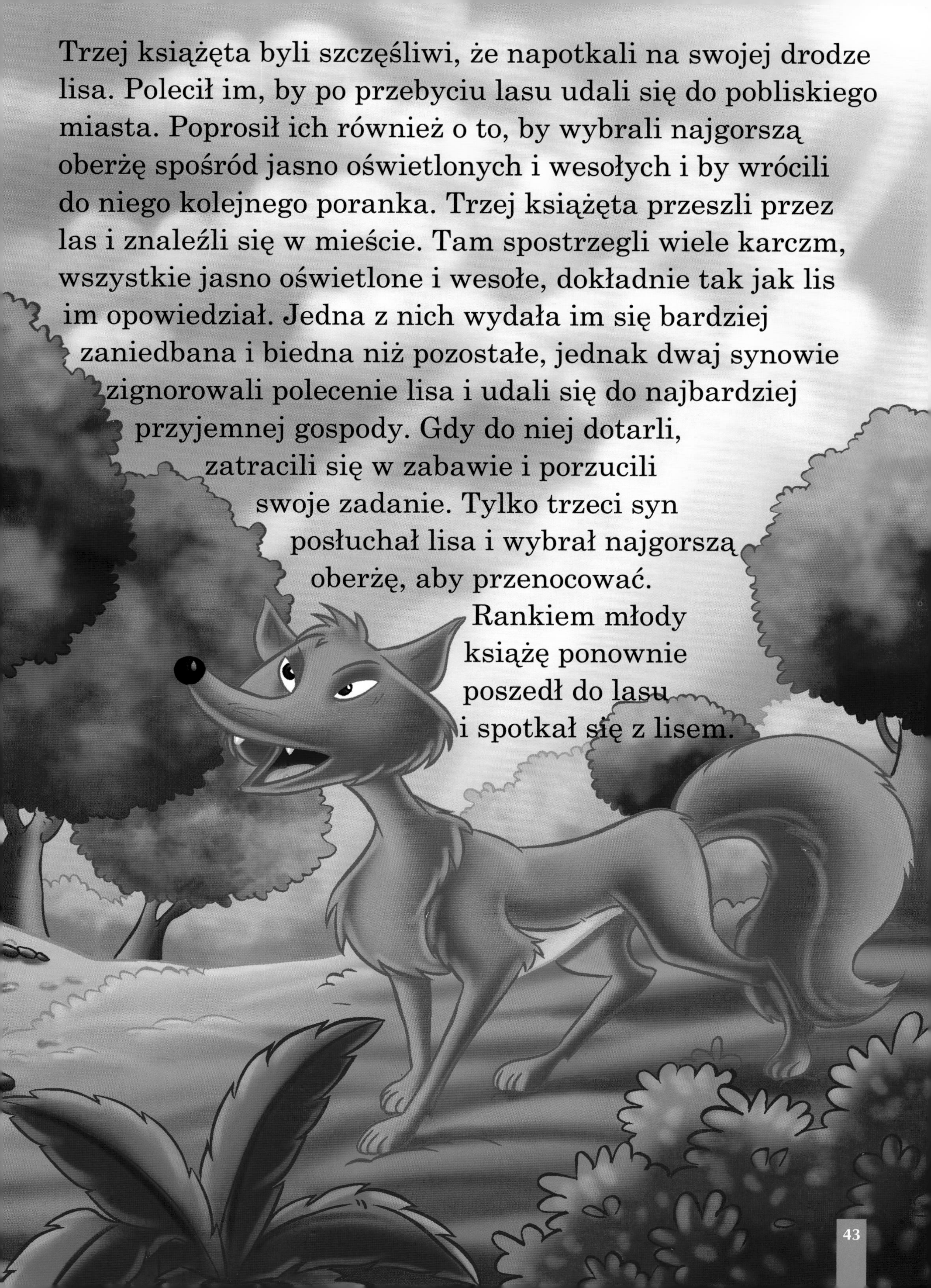

Trzej książęta byli szczęśliwi, że napotkali na swojej drodze lisa. Polecił im, by po przebyciu lasu udali się do pobliskiego miasta. Poprosił ich również o to, by wybrali najgorszą oberżę spośród jasno oświetlonych i wesołych i by wrócili do niego kolejnego poranka. Trzej książęta przeszli przez las i znaleźli się w mieście. Tam spostrzegli wiele karczm, wszystkie jasno oświetlone i wesołe, dokładnie tak jak lis im opowiedział. Jedna z nich wydała im się bardziej zaniedbana i biedna niż pozostałe, jednak dwaj synowie zignorowali polecenie lisa i udali się do najbardziej przyjemnej gospody. Gdy do niej dotarli, zatracili się w zabawie i porzucili swoje zadanie. Tylko trzeci syn posłuchał lisa i wybrał najgorszą oberżę, aby przenocować. Rankiem młody książę ponownie poszedł do lasu i spotkał się z lisem.

Lis był zadowolony, że młodzieniec go posłuchał. Obiecał mu, że zabierze go do złotego ptaka i powiedział:
- Usiądź na moim ogonie, a będziesz podróżował szybciej.
Syn usiadł na ogonie lisa i w ten sposób rozpoczęli swoją podróż. Niebawem dotarli do zamku i znaleźli złotego ptaka. Lis poradził księciu, by ten zamknął złotego ptaka w drewnianej klatce, a nie w złotej. Jednakże gdy książę spostrzegł złotego ptaka, zmienił zdanie i zdecydował się zabrać go w złotej klatce. Nagle ptak zaczął śpiewać, budząc cały zamek i z tego powodu zostali pojmani. Król obiecał darować księciu życie, pod warunkiem że zdobędzie złotego konia.

Kiedy złoty koń został znaleziony, lis poradził księciu, aby założył zwierzęciu drewniane siodło zamiast złotego. Po raz kolejny książę nie posłuchał lisa. Następnie król wysłał księcia po królewnę żyjącą w złotym zamku. Lis i tym razem pomógł księciu wykonać zadanie. Gdy książę zdobył już wszystkie prezenty, razem z lisem odnaleźli dwóch braci. Usłyszawszy, że książę zdobył złotego ptaka, bracia zwiedli go i wrzucili do studni. Zabrali złotego ptaka, złotego konia i księżniczkę do swojego ojca.

Gdy książęta wrócili do zamku, nikt nie rozpoznał w nich dwóch zaginionych królewskich synów. Wyjawili, że zostali odnalezieni przez nieznanego im księcia. Król zażądał od swoich synów prawdy o ich bracie. Powiedzieli mu, że książę zgubił się w oberży.

Nagle mówiący lis wszedł na plac i opowiedział królowi o trzecim księciu, którego pomógł uratować. Król był niezmiernie szczęśliwy z odnalezienia swojego najmłodszego syna. Ożenił go z księżniczką i ogłosił swoim następcą. Dwaj starsi synowie zostali uwięzieni i ukarani za to, co zrobili swojemu bratu.

" O dzielnym krawczyku "

W małym mieście żył pewien krawiec. Zdarzyło mu się zabić siedem much jednym uderzeniem. Zaskoczony tym bohaterskim czynem, zapragnął zrobić coś, co pozwoliłoby na rozgłoszenie tej wieści w całym mieście. Przypiął więc pas i wygrawerował na nim wielkimi literami: „Siedem ofiar za jednym zamachem!”. Pewnego dnia opuścił miasto, myśląc, że jego warsztat jest za mały dla jego męstwa. Przed rozpoczęciem wędrówki, zabrał ze sobą stary ser i schował go w kieszeni. Niebawem dotarł do dziedzińca królewskiego pałacu. Kiedy tam leżał, ludzie przychodzili, spoglądali na niego i czytali napis na pasie „Siedem ofiar za jednym zamachem!”.

- Ach! - mówili. - Co robi tak wielki wojownik w tym miejscu, w czasach pokoju? Musi być dzielnym żołnierzem!
Odeszli i opowiedzieli o nim królowi, przekonując, że podczas wojny ów człowiek mógłby być ważnym i użytecznym żołnierzem. Rada ucieszyła króla, który wysłał jednego z dworzan do małego krawczyka z propozycją wojskowej służby, a on przyjął ten honor z wielkim szacunkiem. Jednakże król zapragnął poznać męstwo krawczyka. Wymyślił więc plan. Wysłał swoich dworzan do młodzieńca i kazał im poinformować go, że jeżeli jest tak wielkim wojownikiem, król ma do niego jedną prośbę.

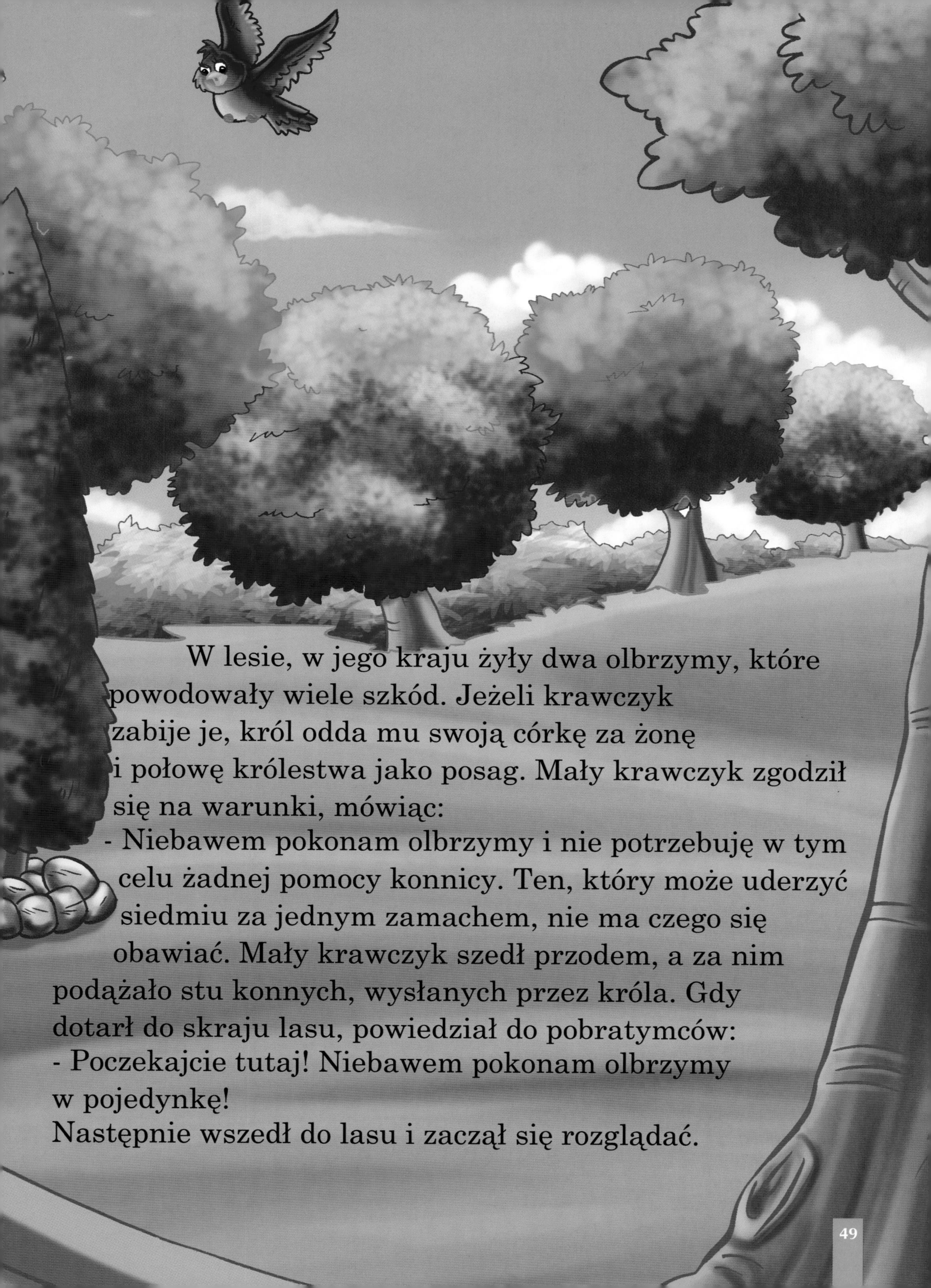

W lesie, w jego kraju żyły dwa olbrzymy, które powodowały wiele szkód. Jeżeli krawczyk zabije je, król odda mu swoją córkę za żonę i połowę królestwa jako posag. Mały krawczyk zgodził się na warunki, mówiąc:
- Niebawem pokonam olbrzymy i nie potrzebuję w tym celu żadnej pomocy konnicy. Ten, który może uderzyć siedmiu za jednym zamachem, nie ma czego się obawiać. Mały krawczyk szedł przodem, a za nim podążało stu konnych, wysłanych przez króla. Gdy dotarł do skraju lasu, powiedział do pobratymców:
- Poczekajcie tutaj! Niebawem pokonam olbrzymy w pojedynkę!
Następnie wszedł do lasu i zaczął się rozglądać.

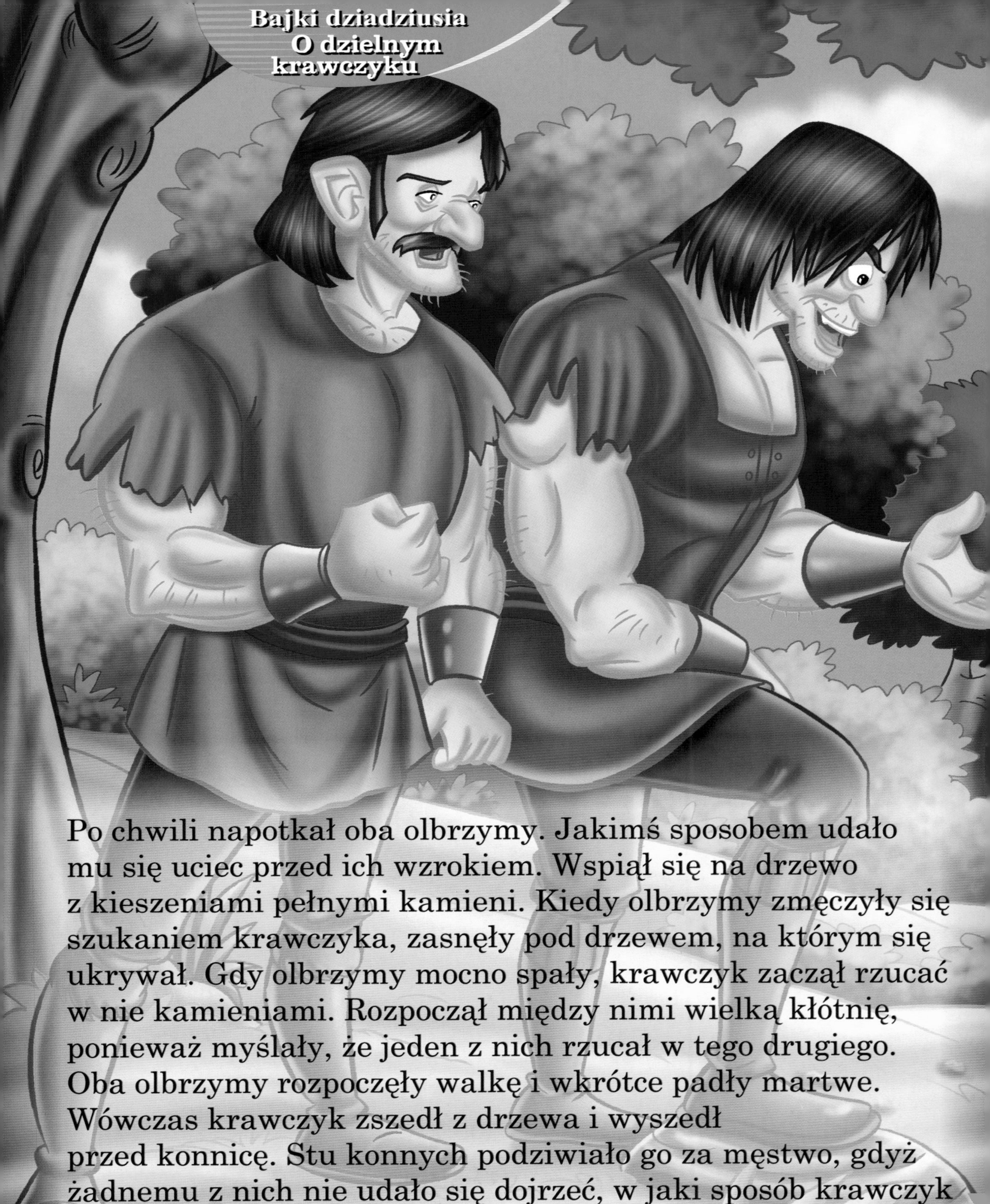

Po chwili napotkał oba olbrzymy. Jakimś sposobem udało mu się uciec przed ich wzrokiem. Wspiął się na drzewo z kieszeniami pełnymi kamieni. Kiedy olbrzymy zmęczyły się szukaniem krawczyka, zasnęły pod drzewem, na którym się ukrywał. Gdy olbrzymy mocno spały, krawczyk zaczął rzucać w nie kamieniami. Rozpoczął między nimi wielką kłótnię, ponieważ myślały, że jeden z nich rzucał w tego drugiego. Oba olbrzymy rozpoczęły walkę i wkrótce padły martwe. Wówczas krawczyk zszedł z drzewa i wyszedł przed konnicę. Stu konnych podziwiało go za męstwo, gdyż żadnemu z nich nie udało się dojrzeć, w jaki sposób krawczyk zdołał zabić olbrzymy. Zaprowadzili bohatera do króla.

Gdy chłopiec zażądał swojej nagrody, król miał jeszcze jedno życzenie.
- Przed tym jak otrzymasz rękę mojej córki i połowę królestwa – powiedział król – musisz dokonać jeszcze jednego wielkiego czynu. W lesie żyje dzik, który wyrządza wiele szkód i najpierw musisz go schwytać.
- Nie obawiam się jednego dzika, który znaczy mniej niż dwa olbrzymy. Siedmiu zabitych za jednym zamachem jest moim sposobem załatwienia sprawy – powiedział krawczyk i wyruszył do lasu, aby pokonać zwierzę.

Niebawem dostrzegł dzika, który ruszył na niego, tocząc pianę z pyska. Jednak szybki bohater uskoczył do kaplicy, która była w pobliżu. Wspiął się do okna i jednym susem był już wewnątrz.

Dzik popędził za nim do środka, a w tym czasie krawczyk wybiegł z kaplicy i zamknął zwierzę. Mały krawczyk zawołał łowczych, aby zobaczyli więźnia na własne oczy, po czym udał się do króla, aby odebrać swoją nagrodę. Pomimo że król nie chciał dotrzymać obietnicy, został zmuszony do jej spełnienia, jako że do tej pory nikt w królestwie nie był gotów do wyzwania kogoś, kto w jednym uderzeniu zabił siedmiu, pokonał dwa olbrzymy i schwytał dzika. Krawczyk został szczęśliwie ożeniony z księżniczką i ofiarowano mu pół królestwa.

" Koń i jeleń "

Pewnego razu był sobie koń, który mieszkał w gospodarstwie. Był zadowolony ze swojego życia. Pewnego dnia na pastwisko konia wkroczył jeleń. Gdy koń chciał wyrzucić intruza, wywiązała się pomiędzy nimi kłótnia. Zdenerwowany koń poszedł do myśliwego, by poradzić się go, jak pozbyć się jelenia.

Myśliwy zgodził się pomóc, lecz powiedział:
- Jeżeli pragniesz pokonać jelenia, musisz mi pozwolić włożyć kawałek żelaza do twojego pyska, abym mógł cię prowadzić za pomocą lejc i pozwolić położyć siodło na twoim grzbiecie, abym mógł wygodnie siedzieć, gdy będziemy wyganiać jelenia.
Koń zgodził się na warunki, a myśliwy osiodłał go i założył mu cugle. Potem, z pomocą myśliwego, koń pokonał jelenia.
Na koniec myśliwy powiedział:
- Mam cię teraz pod ostrogą i nie zamierzam tego zmieniać.

Od tego dnia koń stał się niewolnikiem człowieka.

KTO POD KIM DOŁKI KOPIE,
SAM W NIE WPADA

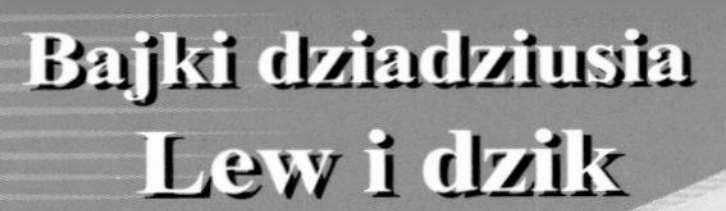

" Lew i dzik "

Pewnego razu żyli sobie w lesie lew i dzik. Nadeszło lato i pogoda zrobiła się niezwykle gorąca, słoneczna i sucha. Rzeki, strumienie i sadzawki zaczęły wysychać. Zostało jedno jeziorko, w którym pozostało trochę wody, tak że jedno zwierzę mogło ugasić w nim pragnienie.

Pewnego upalnego dnia do źródełka przyszli w tym samym czasie lew i dzik, by się napić. Chwilę potem kłócili się, który z nich ma pić pierwszy. Kłótnia przerodziła się niebawem w bójkę i obaj atakowali się nawzajem w wybuchach furii. Walka przerodziła się w bitwę na śmierć i życie. Zatrzymali się na chwilę, by nabrać powietrza, i ujrzeli sępy siedzące na skale powyżej, czekające najwyraźniej na to, aż jeden z nich zginie i będą mogły pożywić się jego ciałem. Widok ten otrzeźwił ich w mgnieniu oka i zwierzęta pogodziły się, mówiąc:

- Lepiej żebyśmy byli przyjaciółmi, niż żebyśmy walczyli ze sobą i zostali zjedzeni przez sępy.

GDZIE DWÓCH SIĘ BIJE, TAM TRZECI KORZYSTA

" O rybaku i złotej rybce "

Pewnego razu żył sobie rybak, który mieszkał wraz z żoną w nędznej chlewni, w pobliżu wybrzeża. Pewnego dnia złapał niezwykłą rybę. Jednak rybka poprosiła go:

- Proszę, pozwól mi żyć! Nie jestem prawdziwą rybą. Jestem zaczarowanym księciem.

Włóż mnie do wody, a spełnię twoje życzenie!
Rybakowi zrobiło się jej żal i puścił ją wolno.
Gdy dotarł do domu, opowiedział żonie o całym zajściu.
- Czy nie poprosiłeś jej o cokolwiek? - zapytała żona.
Rybak nie wiedział, co jej odpowiedzieć.
Jego żona rozkazała mu w złości, by poszedł do rybki i poprosił ją o ładny dom.
Rybak niechętnie poszedł do złotej rybki i powiedział:

- O człowieku mórz! Usłuchaj mnie! Moja żona ma swoje własne życzenie. I wysłała mnie, abym cię poprosił o jedno dobrodziejstwo.
- Wróć więc do żony - odpowiedziała rybka po usłyszeniu całej prośby - która ma już piękny dom!
Kiedy rybak dotarł do domu, jego żona stała w drzwiach pięknej posiadłości, która była pełna rzeczy potrzebnych do dostatniego życia. Niestety, już po kilku dniach kobieta znów zaczęła się skarżyć:
- Mężu, nasz dom jest za mały dla nas. Idź do rybki i poproś ją, by dała nam zamek.

Rybak próbował przekonać żonę, by nie była chciwa, ale ona nie słuchała go. Rybak poszedł więc do rybki i poprosił ją o zamek. Rybka spełniła życzenie, tak jak to zrobiła poprzednio i niebawem rybak z żoną zaczęli życie w wielkim zamku z liczną służbą.
Lecz żądze żony rosły z każdym kolejnym dniem. Nalegała, by zostać królem i wkrótce również i to życzenie zostało spełnione.
Życie toczyło się spokojnie przez kilka dni, aż żona zapragnęła zostać cesarzem.
Raz jeszcze biedny rybak wybrał się nad morze i zażądał od rybki, by ta uczyniła jego żonę cesarzem. Rybka spełniła jego życzenie. Żona siedziała na bardzo obszernym tronie zrobionym z czystego złota, z wielką koroną na głowie, a po każdej stronie stały straże i służba.

Żona rybaka miała wszystko, o czym mogła tylko marzyć. Posiadała wielki pałac rozciągający się na wiele kilometrów. Było w nim wiele pokoi pełnych drogocennych kamieni i skarbów. Jej szaty były niezwykle wyszukane, a jej korona była najcenniejszym przedmiotem znanym ludzkości. Jednakże kobieta nadal nie była szczęśliwa. Tym razem nie była już pewna, czego chce. Pewnej nocy nie mogła spać, myśląc, czego powinna teraz zażądać. W końcu, kiedy zaczynała usypiać, nastał ranek i wstało słońce.
Bardzo ją to zezłościło, obudziła męża i powiedziała:
- Idź do rybki i powiedz jej, że chcę być panią dnia i nocy.

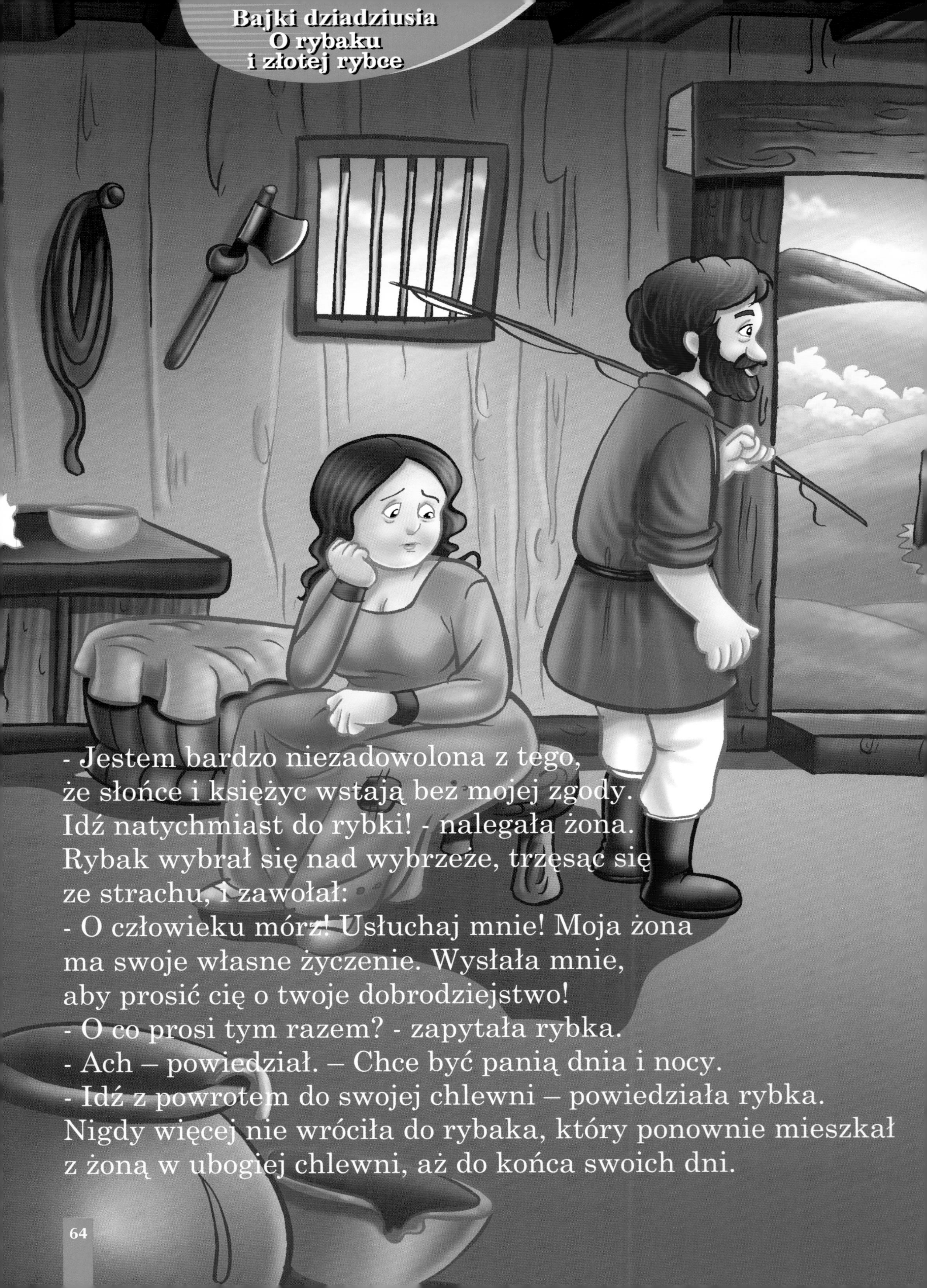

- Jestem bardzo niezadowolona z tego,
że słońce i księżyc wstają bez mojej zgody.
Idź natychmiast do rybki! - nalegała żona.
Rybak wybrał się nad wybrzeże, trzęsąc się
ze strachu, i zawołał:
- O człowieku mórz! Usłuchaj mnie! Moja żona
ma swoje własne życzenie. Wysłała mnie,
aby prosić cię o twoje dobrodziejstwo!
- O co prosi tym razem? - zapytała rybka.
- Ach – powiedział. – Chce być panią dnia i nocy.
- Idź z powrotem do swojej chlewni – powiedziała rybka.
Nigdy więcej nie wróciła do rybaka, który ponownie mieszkał
z żoną w ubogiej chlewni, aż do końca swoich dni.

“ Żołnierz i diabeł ”

Po tym jak zawarto pokój, żołnierz został zwolniony z armii. Wyruszył więc w świat z karabinem na ramieniu. Na swojej drodze spotkał dziwnego człowieka.
- Wiem, że chcesz być bogaty i szczęśliwy - powiedział dziwny mężczyzna. - Dam ci to, ale musisz spełnić kilka warunków.

- Przez siedem lat nie będziesz się mył,
czesał swojej brody i włosów, przycinał paznokci, ani
odmawiał Ojcze Nasz. Żołnierz słuchał żądań mężczyzny,
i w końcu zgodził się na nie.
- Dam ci surdut i płaszcz, który musisz nosić cały czas.
Jeżeli umrzesz w przeciągu siedmiu lat, należysz do mnie.
Jeżeli pozostaniesz przy życiu, będziesz zarówno wolny,
jak i bogaty do końca swoich dni. Żołnierz zgodził się
bez wahania. Diabeł zdjął swój zielony surdut
i dał go żołnierzowi, mówiąc:

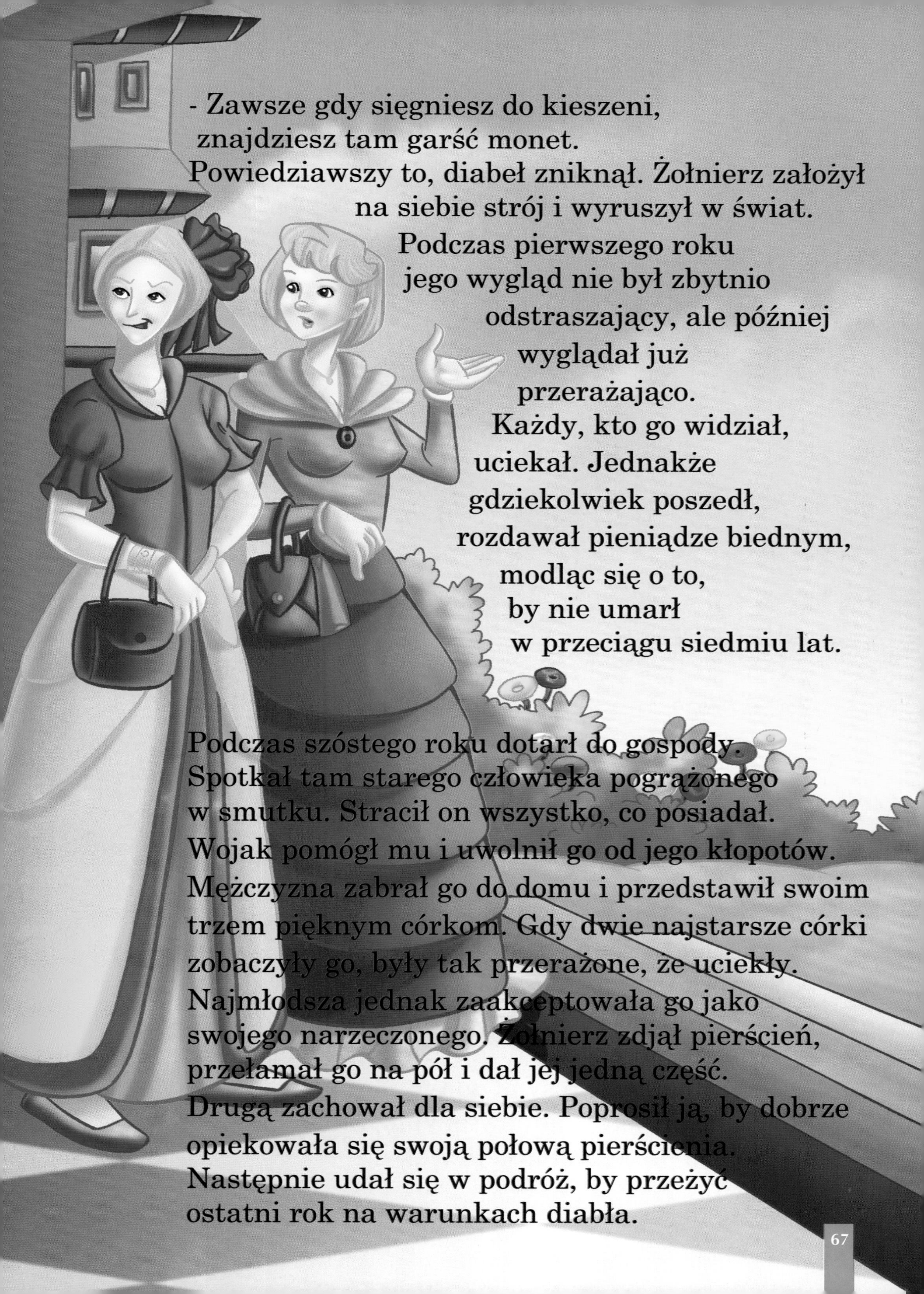

- Zawsze gdy sięgniesz do kieszeni, znajdziesz tam garść monet.
Powiedziawszy to, diabeł zniknął. Żołnierz założył na siebie strój i wyruszył w świat. Podczas pierwszego roku jego wygląd nie był zbytnio odstraszający, ale później wyglądał już przerażająco. Każdy, kto go widział, uciekał. Jednakże gdziekolwiek poszedł, rozdawał pieniądze biednym, modląc się o to, by nie umarł w przeciągu siedmiu lat.

Podczas szóstego roku dotarł do gospody. Spotkał tam starego człowieka pogrążonego w smutku. Stracił on wszystko, co posiadał. Wojak pomógł mu i uwolnił go od jego kłopotów. Mężczyzna zabrał go do domu i przedstawił swoim trzem pięknym córkom. Gdy dwie najstarsze córki zobaczyły go, były tak przerażone, że uciekły. Najmłodsza jednak zaakceptowała go jako swojego narzeczonego. Żołnierz zdjął pierścień, przełamał go na pół i dał jej jedną część. Drugą zachował dla siebie. Poprosił ją, by dobrze opiekowała się swoją połową pierścienia. Następnie udał się w podróż, by przeżyć ostatni rok na warunkach diabła.

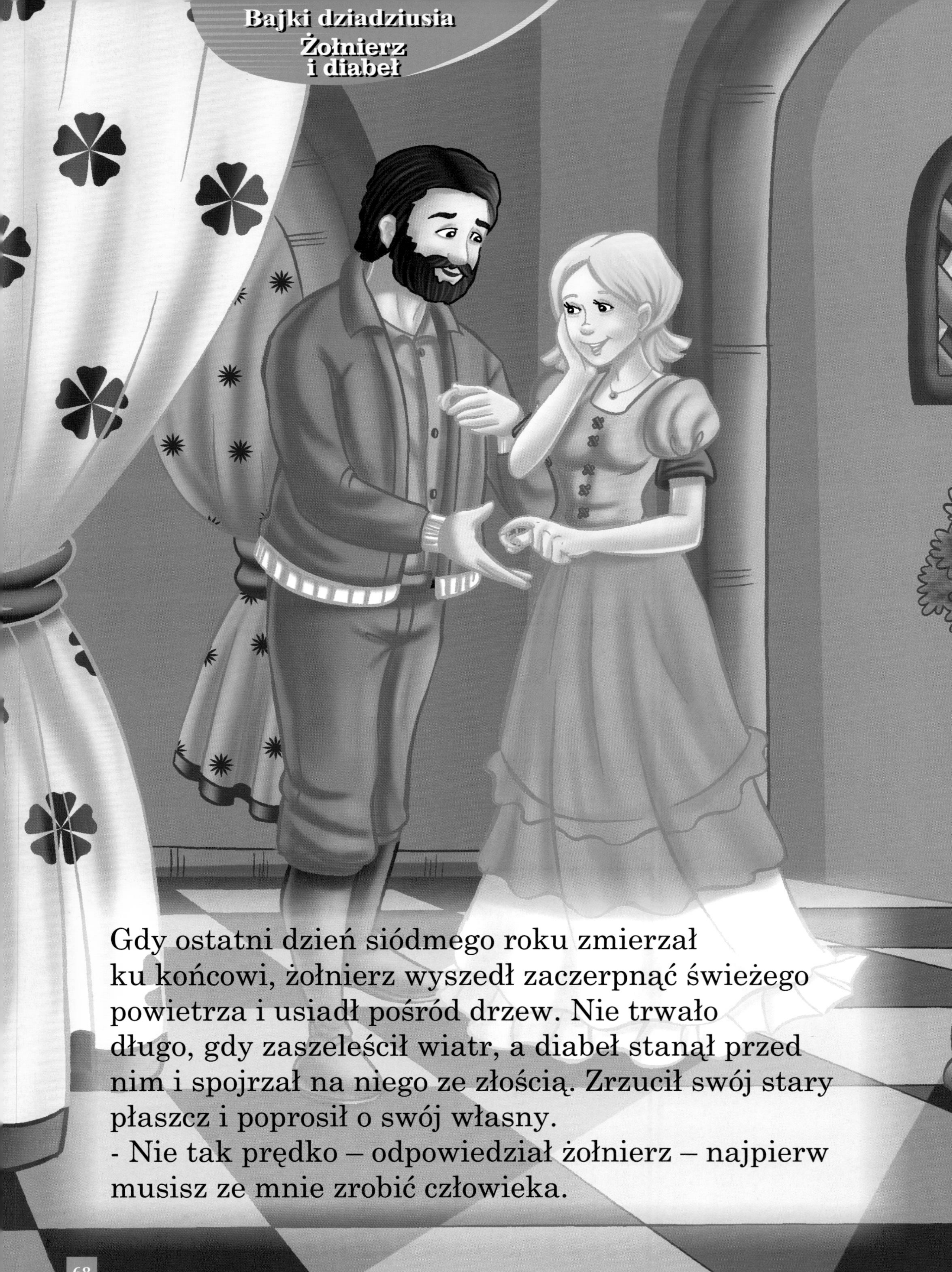

Gdy ostatni dzień siódmego roku zmierzał ku końcowi, żołnierz wyszedł zaczerpnąć świeżego powietrza i usiadł pośród drzew. Nie trwało długo, gdy zaszeleścił wiatr, a diabeł stanął przed nim i spojrzał na niego ze złością. Zrzucił swój stary płaszcz i poprosił o swój własny.

- Nie tak prędko – odpowiedział żołnierz – najpierw musisz ze mnie zrobić człowieka.

Niezależnie, czy diabłu się to spodobało, czy nie, został zmuszony do przyniesienia wody, umycia żołnierza, uczesania go i obcięcia jego paznokci. Mężczyzna wyglądał jak dzielny wojak, o wiele przystojniej niż kiedykolwiek wcześniej. Kiedy diabeł zniknął, żołnierz poczuł ogromną ulgę. Popędził do domu swojej narzeczonej. Nikt go jednak nie rozpoznał, a dwie starsze córki się w nim zakochały. Obie córki udały się do sypialni, by ubrać się w swoje najlepsze ubrania. W momencie, w którym nieznajomy został sam ze swoją narzeczoną, wyciągnął swoją połowę pierścienia i pokazał ją dziewczynie.

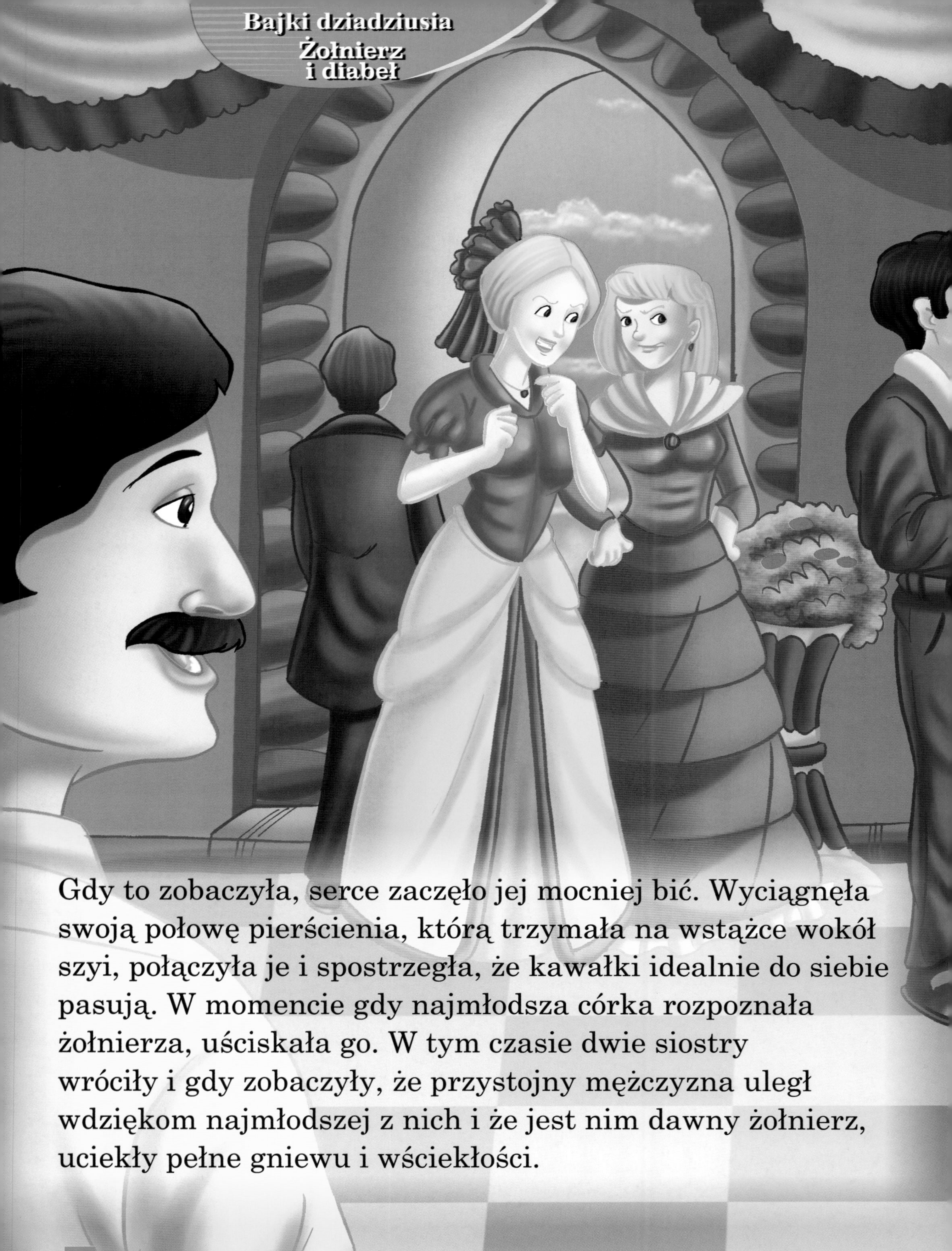

Gdy to zobaczyła, serce zaczęło jej mocniej bić. Wyciągnęła swoją połowę pierścienia, którą trzymała na wstążce wokół szyi, połączyła je i spostrzegła, że kawałki idealnie do siebie pasują. W momencie gdy najmłodsza córka rozpoznała żołnierza, uściskała go. W tym czasie dwie siostry wróciły i gdy zobaczyły, że przystojny mężczyzna uległ wdziękom najmłodszej z nich i że jest nim dawny żołnierz, uciekły pełne gniewu i wściekłości.

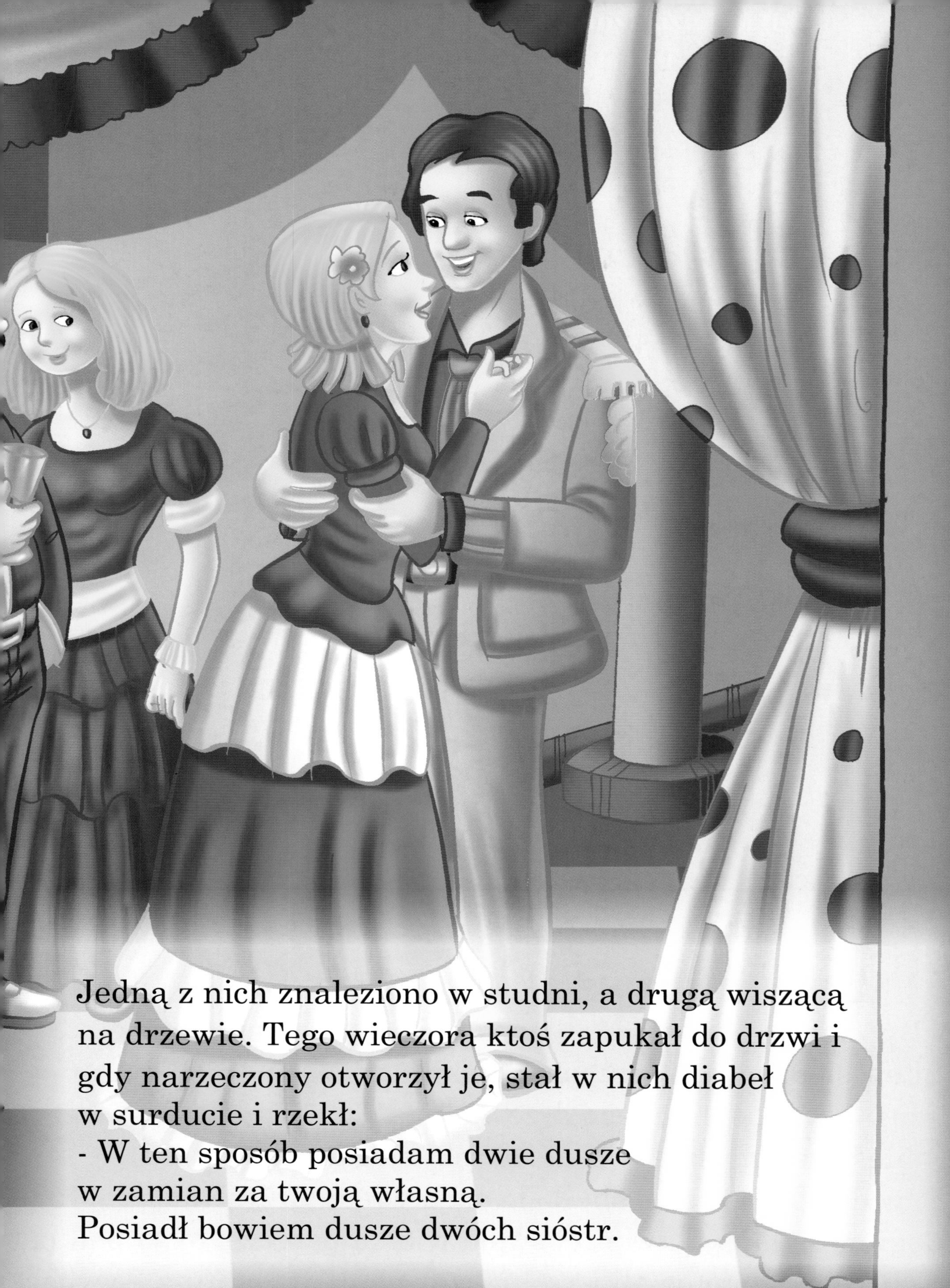

Jedną z nich znaleziono w studni, a drugą wiszącą na drzewie. Tego wieczora ktoś zapukał do drzwi i gdy narzeczony otworzył je, stał w nich diabeł w surducie i rzekł:

- W ten sposób posiadam dwie dusze w zamian za twoją własną.

Posiadł bowiem dusze dwóch sióstr.

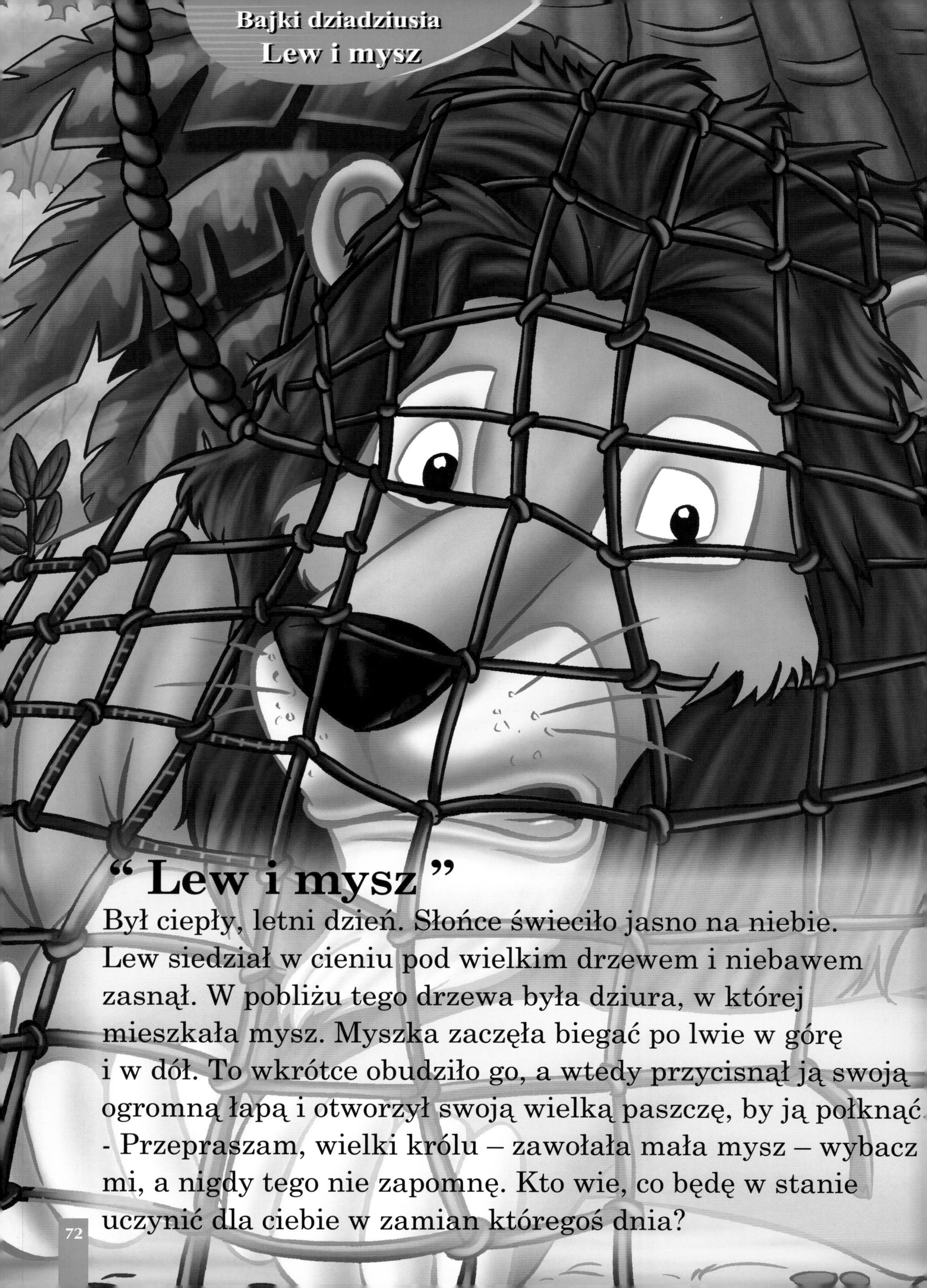

" Lew i mysz "

Był ciepły, letni dzień. Słońce świeciło jasno na niebie. Lew siedział w cieniu pod wielkim drzewem i niebawem zasnął. W pobliżu tego drzewa była dziura, w której mieszkała mysz. Myszka zaczęła biegać po lwie w górę i w dół. To wkrótce obudziło go, a wtedy przycisnął ją swoją ogromną łapą i otworzył swoją wielką paszczę, by ją połknąć.

- Przepraszam, wielki królu – zawołała mała mysz – wybacz mi, a nigdy tego nie zapomnę. Kto wie, co będę w stanie uczynić dla ciebie w zamian któregoś dnia?

Lwu tak spodobał się pomysł myszy pomagającej mu, że podniósł łapę i puścił ją wolno. Niedługo potem lew został złapany w pułapkę i myśliwi, którzy chcieli zanieść go żywego do króla, przywiązali go do drzewa na czas poszukiwań odpowiedniego wozu, którym mogliby go przewieźć. Przypadkiem przechodziła w pobliżu mała mysz i widząc, w jak ciężkim położeniu jest lew, podeszła do niego i przegryzła liny pętające króla zwierząt.

- Czyż nie miałam racji? - zapytała mysz.

MALI PRZYJACIELE MOGĄ OKAZAĆ SIĘ WIELKIMI PRZYJACIÓŁMI

“ Dwóch ludzi i niedźwiedź ”

Pewnego razu było sobie dwóch podróżnych wędrujących przez las. Gdy dotarli w głąb lasu, zobaczyli duże zwierzę zmierzające w ich kierunku. Początkowo ignorowali je, myśląc że jest to bawół. Lecz gdy zwierzę podeszło bliżej, zdali sobie sprawę, że to niedźwiedź. Widząc ludzi na swojej drodze, niedźwiedź stał się agresywny i ruszył, by ich zaatakować. Jeden z podróżnych szybko wspiął się na drzewo i ukrył się w gałęziach. Drugi, widząc że nie uniknie ataku, położył się na ziemi, wstrzymał oddech i udawał martwego tak prawdziwie, jak tylko potrafił. Niedźwiedź pochylił się, obwąchał leżącego, lecz niebawem odszedł.
Gdy niedźwiedź się oddalił, drugi podróżny zszedł z drzewa i zagadując przyjaciela, żartobliwie zapytał, co też niedźwiedź szepnął mu do ucha. Jego przyjaciel odpowiedział:
- Dał mi dobrą radę: nigdy nie podróżuj z przyjacielem, który opuszcza cię w potrzebie.
PRAWDZIWYCH PRZYJACIÓŁ POZNAJE SIĘ W BIEDZIE

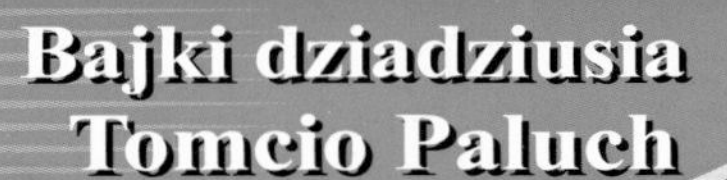

" Tomcio Paluch "

W pewnej wiosce żył ubogi mężczyzna ze swoją żoną i siedmioma synami. Jego najmłodszym dzieckiem był bardzo mały Tomcio. Gdy się urodził, wzrostem nie przekraczał długości palca i z tego powodu nazywano go Tomcio Paluch. Rodzina była bardzo biedna, rodzice nie potrafili wykarmić siedmiorga dzieci.

Nigdy nie starczało chleba dla wszystkich. Pewnego wieczoru, gdy wszyscy chłopcy byli już w łóżkach, rodzice siedzieli przy kominku. Ojciec długo milczał, bo serce przepełniała mu straszliwa rozpacz, aż wreszcie powiedział do żony:

- Nie stać nas, by utrzymać nasze dzieci, a nie chcę, by umierały z głodu na moich oczach.

- Wymyśliłem więc, że pozostawimy je w lesie następnego dnia. Będzie to bardzo proste, gdyż zajęte zbieraniem i wiązaniem chrustu nie zauważą naszej ucieczki. Tylko mały Tomcio Paluch słyszał każde słowo rodziców. Wczesnym rankiem następnego dnia leśnik i jego żona zabrali swoje dzieci do lasu osnutego mgłą. Tomcio Paluch nie zdradził swoim braciom, co słyszał wieczorem. Biedny ojciec zaczął ścinać drzewo, a dzieci zbierały chrust. Mąż i żona, widząc, że ich synowie są zajęci pracą, odeszli niepostrzeżenie. Gdy dzieci zorientowały się, że są same, zaczęły krzyczeć wniebogłosy. Tomcio Paluch nie pozwolił im rozpaczać, ponieważ bardzo dobrze wiedział, jak trafić do domu. Zadbał o to wcześniej, znając plany rodziców. Otóż wyrzucał po drodze małe, białe kamyki, które miał w kieszeniach. Oznajmił zatem swoim starszym braciom:

- Nie bójcie się! Co prawda ojciec i matka pozostawili nas tutaj, ale ja zaprowadzę was z powrotem do domu, idźcie tylko za mną. Nadeszła noc. Tomcio Paluch był zajęty poszukiwaniem domu, w którym mogliby przenocować. Nagle dostrzegł światło i powiedział braciom, by szli w jego kierunku. Idąc za światłem, doszli do dużej jaskini, która była domem złego ogra. Tomcio Paluch poprosił ogrzą żonę, by pozwoliła im spędzić noc w jaskini. Ogrzyca była tak miła, że zgodziła się, by weszli i zostali w jej domu.

Wiedziała jednak, że jej mąż będzie chciał zjeść niespodziewanych gości, więc przed powrotem ogra ukryła ich w dużej skrzyni. Niestety, niebawem wrócił gospodarz i od razu rozpoznał zapach obcych w swoim domu. Równie szybko znalazł ukryte dzieci. Najpierw wyciągnął Tomcia Palucha, lecz uległ jego prośbom, by zjadł ich dopiero następnego dnia. Groźny gospodarz posiadał siedem córek, które poszły spać w swoich przepięknych koronach.

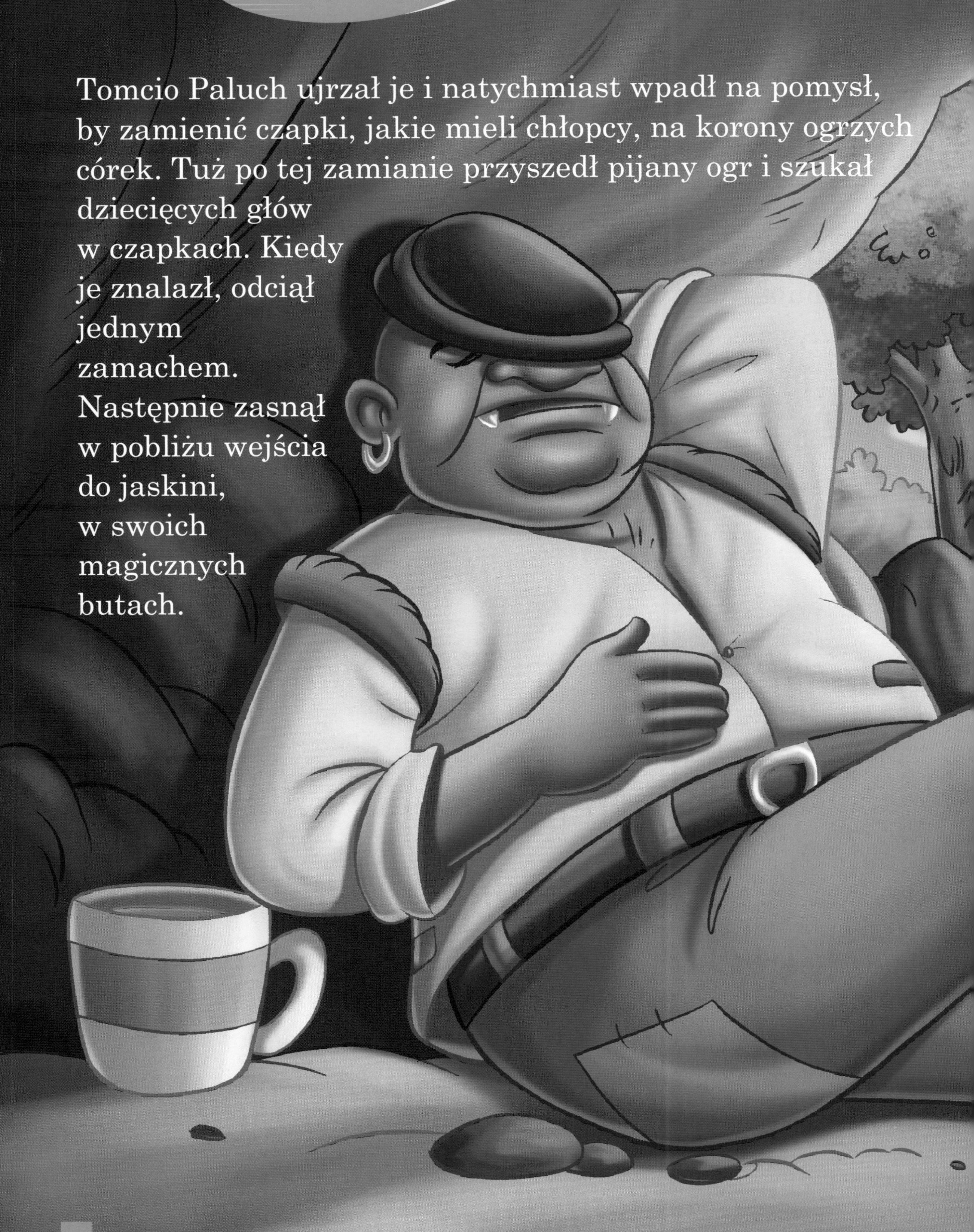

Tomcio Paluch ujrzał je i natychmiast wpadł na pomysł, by zamienić czapki, jakie mieli chłopcy, na korony ogrzych córek. Tuż po tej zamianie przyszedł pijany ogr i szukał dziecięcych głów w czapkach. Kiedy je znalazł, odciął jednym zamachem. Następnie zasnął w pobliżu wejścia do jaskini, w swoich magicznych butach.

Myśląc, że jest to odpowiedni czas, Tomcio Paluch zdjął magiczne buty z jego stóp i poradził braciom, jak mają wrócić do domu. Obudzony ogr był bezsilny. Nie mógł nic zrobić bez swoich butów, ponieważ kamienie raniły jego nagie stopy. Tomcio poszedł niezwłocznie do ogrzego domu, gdzie ogrza żona ciężko opłakiwała utratę zamordowanych córek. - Twój mąż – powiedział Tomcio Paluch – jest w bardzo dużym niebezpieczeństwie. Został uprowadzony przez grupę złodziei, którzy przysięgli zabić go, jeśli nie odda im całego swojego złota i srebra.

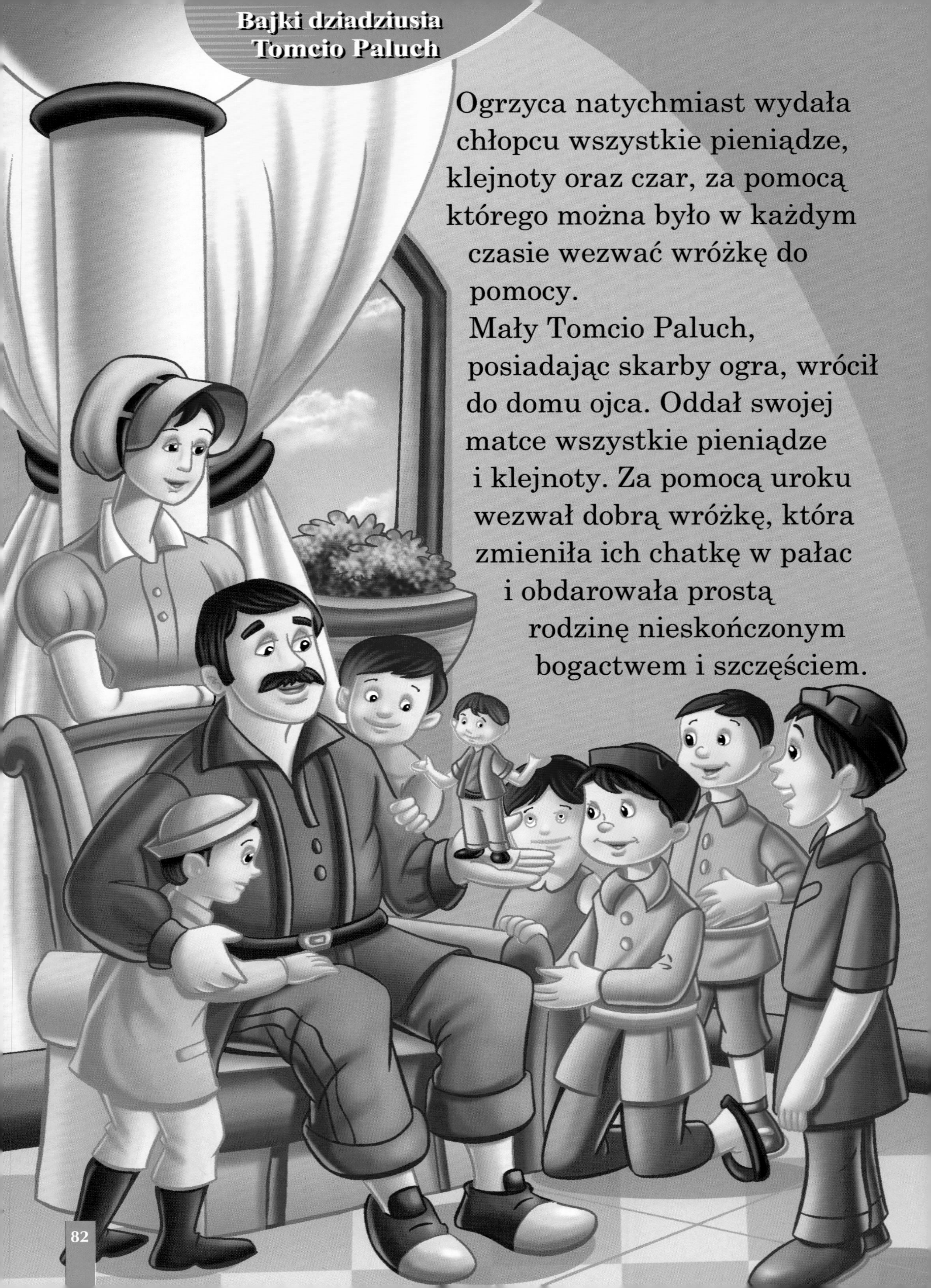

Ogrzyca natychmiast wydała chłopcu wszystkie pieniądze, klejnoty oraz czar, za pomocą którego można było w każdym czasie wezwać wróżkę do pomocy.

Mały Tomcio Paluch, posiadając skarby ogra, wrócił do domu ojca. Oddał swojej matce wszystkie pieniądze i klejnoty. Za pomocą uroku wezwał dobrą wróżkę, która zmieniła ich chatkę w pałac i obdarowała prostą rodzinę nieskończonym bogactwem i szczęściem.

" Sinobrody "

Pewnego razu żył sobie bogaty człowiek, który miał przepiękne domy, wspaniałą zastawę ze srebra i złota oraz rzeźbione meble i powozy całe mieniące się złotem. Jednakże był on nieszczęśliwy z powodu swojej brody, która czyniła go tak brzydkim, że wszystkie kobiety i dziewczyny uciekały od niego. Jedna z jego sąsiadek, pani o wielkich zaletach, miała dwie córki o nieskazitelnej urodzie. Pragnął, by jedna z nich go poślubiła. Obie córki obrażały go, lecz Sinobrody, aby zdobyć ich względy, zabrał je wraz z ich matką i trzema z czterech znajomych do jednego ze swoich wiejskich domów, gdzie pozostali cały tydzień.

Czas był wypełniony zabawami, polowaniami, łowieniem ryb, tańcami i ucztowaniem. Widząc to, młodsza córka zdecydowała się go poślubić. Zaślubiny odbyły się, kiedy tylko powrócili do domu. Po miesiącu Sinobrody powiedział swojej żonie, że musi odbyć wyprawę po swoim państwie, która będzie trwać co najmniej sześć tygodni. Dał jej wszystkie klucze od domu, pod warunkiem że nie otworzy małego gabinetu. Zrobiła wszystko, o co była poproszona. Kiedy król wyjechał, podeszła do drzwi gabinetu i zatrzymała się na chwilę, myśląc o rozkazach męża. Jednakże pokusa była tak silna, że nie mogła się jej oprzeć. Cała się trzęsąc, otworzyła drzwi.

Spostrzegła, że na podłodze leżały ciała kilku martwych kobiet. Były to wszystkie żony, które Sinobrody poślubił i zamordował. Myślała, że umrze ze strachu. Zaraz potem zamknęła drzwi. Sinobrody wrócił z podróży tego samego wieczoru. Następnego ranka zapytał ją o klucze, które księżniczka mu oddała, lecz tak mocno trzęsły się jej ręce, że łatwo odgadł, co się stało. Sinobrody powiedział swojej żonie:

- Dlaczego na kluczu znajduje się krew?

- Nie wiem! – zawołała biedna kobieta, bladsza niż śmierć.

- Musisz umrzeć, pani – powiedział – natychmiast!

- Ponieważ mam umrzeć - odpowiedziała, patrząc na niego oczami pełnymi łez - daj mi chwilę, bym odmówiła modlitwę. - Dam ci połowę kwadransa - powiedział Sinobrody. Przerażona dziewczyna zawołała siostrę i powiedziała jej:

- Siostro Anno, idź w górę, błagam cię, aż do szczytu wieży, i spójrz, czy moi bracia nie idą. Obiecali mi, że przyjdą dzisiaj. Jeżeli ich ujrzysz, daj im znak, by się pospieszyli. Siostra poszła do góry ku szczytowi wieży, a biedna, nieszczęsna żona wołała co pewien czas:

- Anno, siostro Anno, czy widzisz, że ktoś nadchodzi?

- Widzę dwóch konnych, ale są jeszcze daleko - powiedziała.

- Dzięki Bogu – westchnęła biedna żona. – Są oni moimi braćmi. Dam im znak, by się do mnie pospieszyli. Sinobrody wrzeszczał tak głośno, że aż zatrząsł się cały dom.

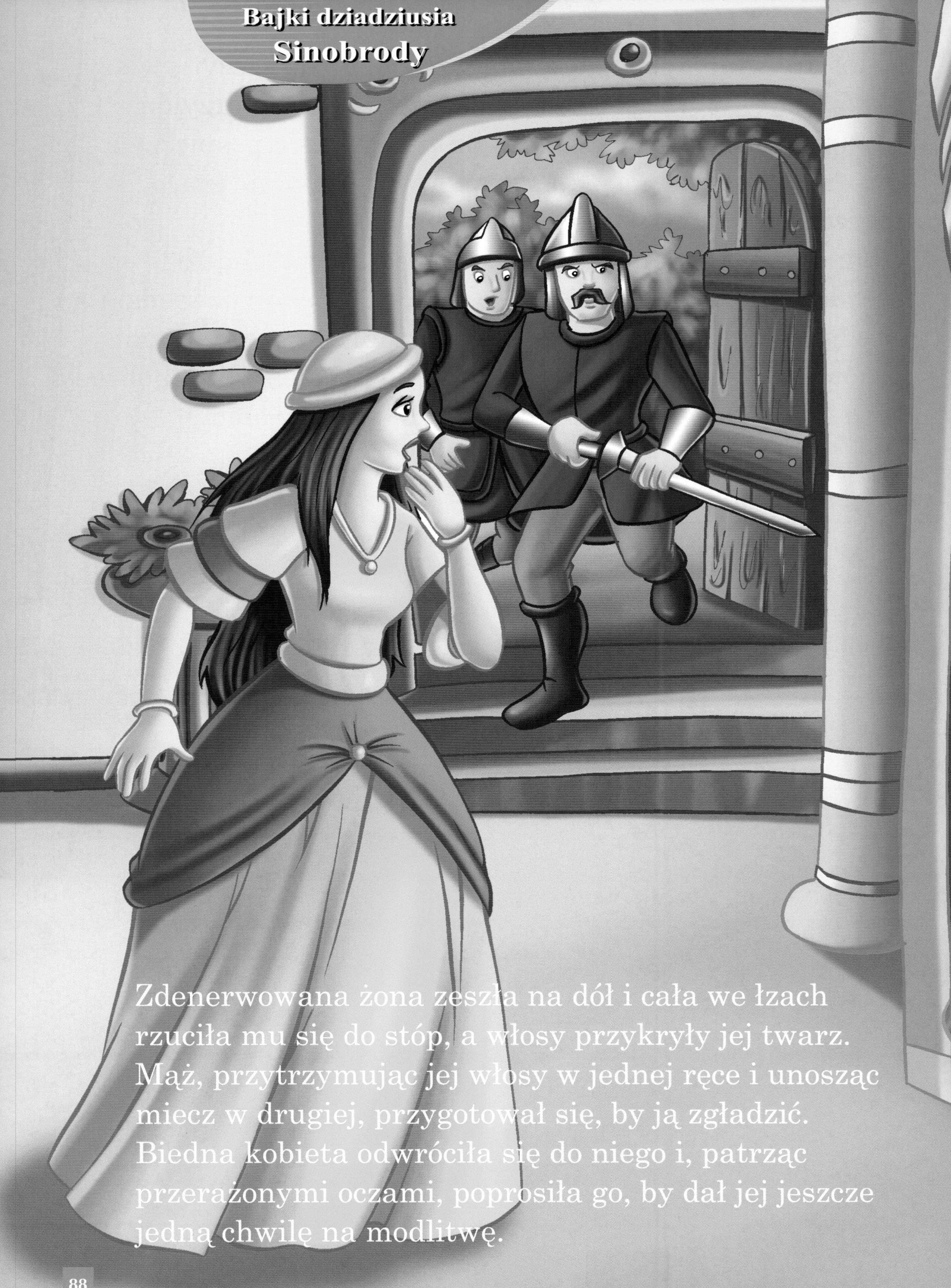

Zdenerwowana żona zeszła na dół i cała we łzach rzuciła mu się do stóp, a włosy przykryły jej twarz. Mąż, przytrzymując jej włosy w jednej ręce i unosząc miecz w drugiej, przygotował się, by ją zgładzić. Biedna kobieta odwróciła się do niego i, patrząc przerażonymi oczami, poprosiła go, by dał jej jeszcze jedną chwilę na modlitwę.

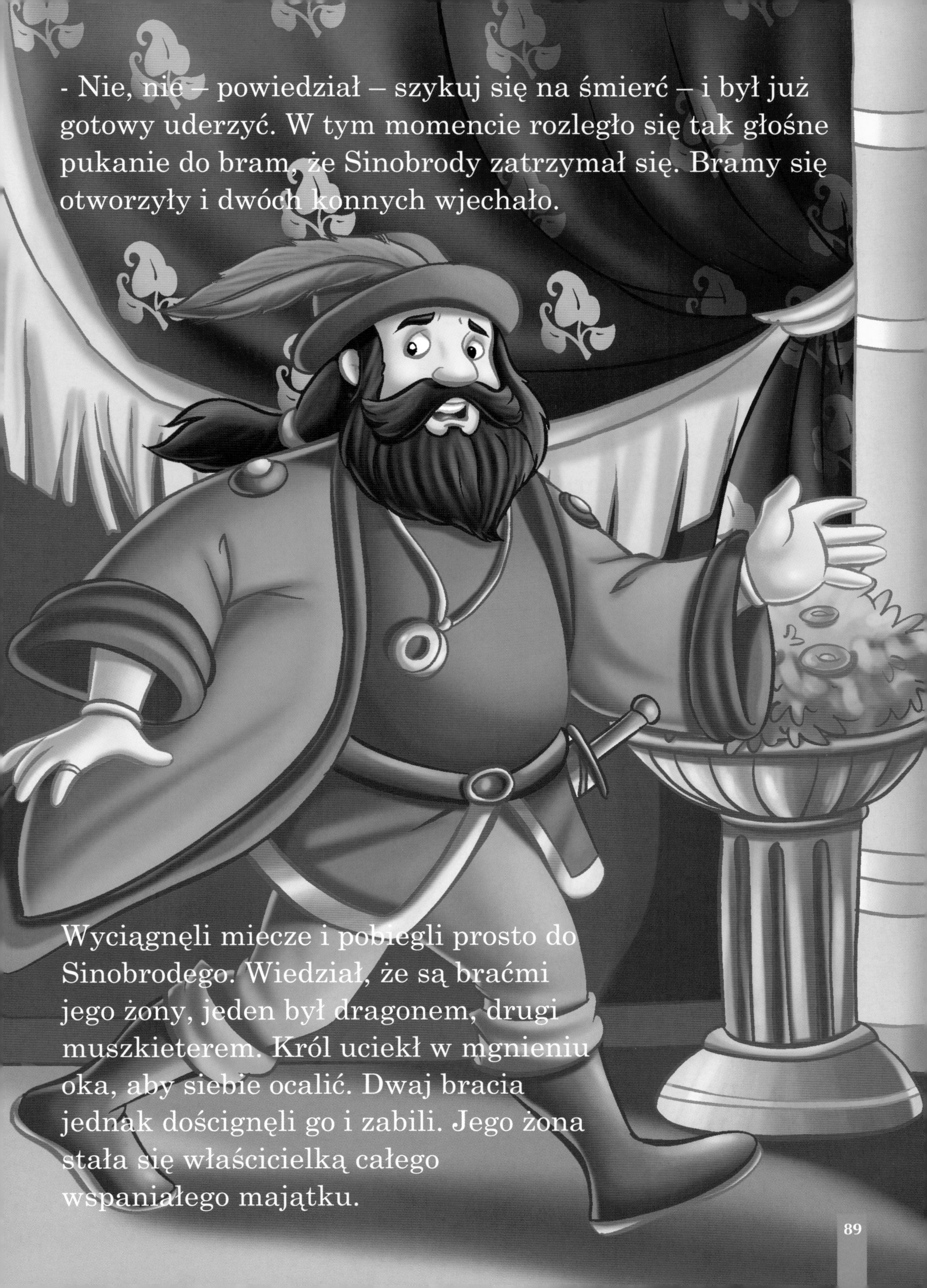

- Nie, nie – powiedział – szykuj się na śmierć – i był już gotowy uderzyć. W tym momencie rozległo się tak głośne pukanie do bram, że Sinobrody zatrzymał się. Bramy się otworzyły i dwóch konnych wjechało.

Wyciągnęli miecze i pobiegli prosto do Sinobrodego. Wiedział, że są braćmi jego żony, jeden był dragonem, drugi muszkieterem. Król uciekł w mgnieniu oka, aby siebie ocalić. Dwaj bracia jednak doścignęli go i zabili. Jego żona stała się właścicielką całego wspaniałego majątku.

“ Pies i wilk “

Słaby wilk prawie umierał z głodu, gdy napotkał domowego psa, który przechodził nieopodal.
- Ach, kuzynie – powiedział pies – wiedziałem, że tak się stanie i twoje niespokojne życie wkrótce doprowadzi cię do ruiny. Dlaczego nie chcesz pracować tak jak ja i dostawać w zamian na czas jedzenie?
- Nie miałbym nic przeciwko – powiedział wilk – jeżeli tylko znalazłbym takie miejsce.
- Mogę to dla ciebie zorganizować – powiedział pies – chodź ze mną do mojego pana, a będę dzielił się z tobą moją pracą.

Wilk i pies wyruszyli razem w kierunku miasta.
W drodze do domu wilk zauważył, że sierść w pewnym miejscu na szyi psa była bardzo wytarta, więc spytał go, jak do tego doszło.
- Och, to nic - powiedział pies - to miejsce, gdzie pan zakłada mi obrożę na noc, by mnie uwiązać. Trochę mnie ona uwiera, lecz do wszystkiego można przywyknąć.
- I to nic? - powiedział wilk. - Do widzenia, panie psie!

LEPIEJ UMRZEĆ Z GŁODU NA WOLNOŚCI, NIŻ UTYĆ JAKO NIEWOLNIK

" Pies w żłobie "

Pewnego razu był sobie pies, który chciał spać przez całe popołudnia. Szukał więc dobrego miejsca na drzemki. Nagle zauważył żłób pełen siana. Wskoczył do żłobu wołu i ułożył się wygodnie na sianie. Gdy zgłodniał, usiadł i spróbował jeść siano, lecz nie smakowało mu i nie mógł go przełknąć. Wieczorem krowy wróciły do swojej zagrody. Pracowały cały dzień i były głodne.

Gdy poszły do żłobu, zauważyły leżącego na sianie psa.
Jedna z krów powiedziała:
- Proszę, wstań, chcemy zjeść siano.
Pies zaczął szczekać i warczeć na nie. Krowy powiedziały:
- Jakże jesteś skąpy. Nie możesz jeść siana i nie pozwalasz również nam jeść. Jesteśmy głodne i zmęczone po całym dniu pracy.
Lecz pies nie zważał na prośby krów. Wtedy wrócił z popołudniowej pracy wół. Podszedł do żłobu i chciał zjeść trochę siana. Pies, obudzony ze snu, wstał i zaczął ujadać. Za każdym razem, gdy wół się zbliżał, pies próbował go ugryźć. W końcu wół porzucił nadzieję na jedzenie i odszedł, mówiąc:
- Ach, często żałuje się innym tego, z czego samemu nie można się cieszyć.

PIES SIANA NIE ZJE I DRUGIEMU NIE DA

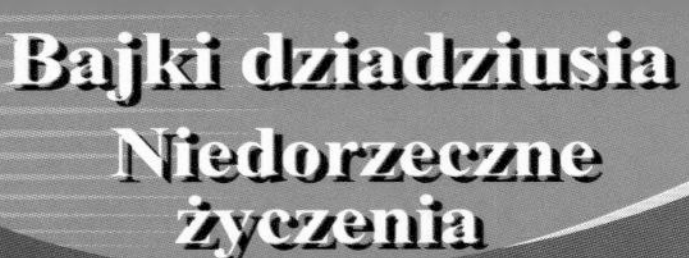

" Niedorzeczne życzenia "

Pewnego razu żył sobie biedny drwal, który wiódł nędzne życie. Będąc tak bardzo nieszczęśliwym, poskarżył się bogu na swój los. Nagle pojawił się przed nim Jupiter, z piorunami w rękach. Biedny drwal śmiertelnie przeraził się boga i padł na kolana.

- Nie bój się – powiedział Jupiter – przybyłem tu po usłyszeniu twoich narzekań. Spełnię trzy twoje życzenia i od ciebie zależy, jakie one będą. Zastanów się więc, zanim je wypowiesz. Po tym zniknął.

Drwal szczęśliwie powrócił do domu, wciąż myśląc o trzech życzeniach.

- To jest poważna sprawa – powiedział do siebie – muszę poradzić się żony.

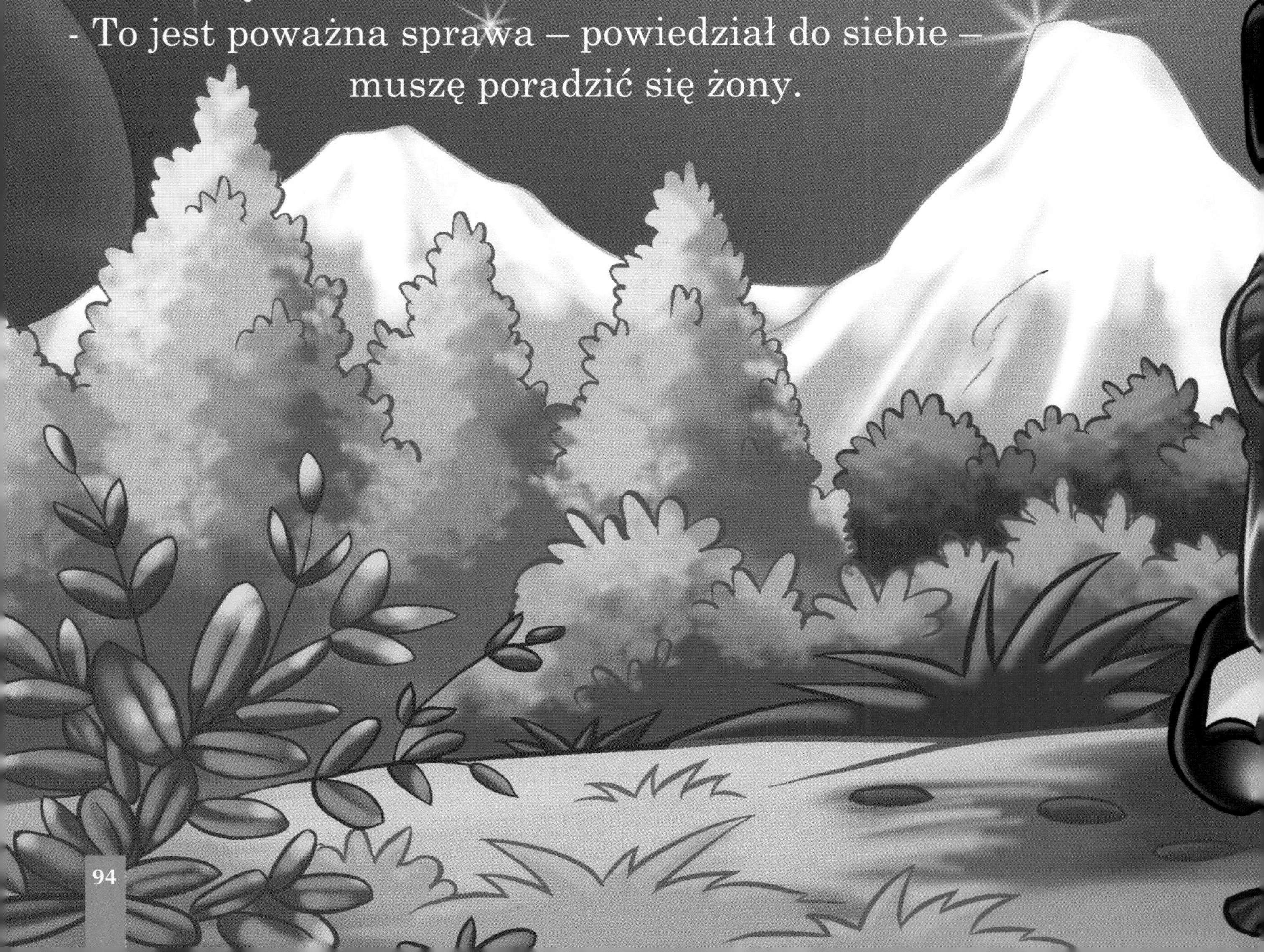

- Hej! - krzyknął, gdy dotarł do swojej chatki. - Napal w kominku! Jesteśmy prawie bogaci, a nasze życie będzie pełne radości. Wszystko, co musimy zrobić, to wypowiedzieć trzy życzenia!

Jego żona nie mogła zrozumieć, co jej mąż chciał właściwie powiedzieć. Poprosiła, by to wyjaśnił. Drwal opisał całe zajście, jakie miało miejsce w lesie. Usłyszawszy o trzech życzeniach, jego żona była szczęśliwsza od niego.
Zaczęła snuć tysiące planów.
Nagle powiedziała do swojego męża:
- Mój drogi, musimy przemyśleć sprawy bardzo ostrożnie. Pozwól nam odłożyć nasze pierwsze życzenie na jutro.
- Masz rację, moja droga – odrzekł drwal.
Siadając na krześle przed kominkiem, powiedział:
- Chciałbym, byśmy mieli porządną porcję kiełbasek. Byłoby wspaniale.

Gdy wypowiedział te słowa, nagle jego żona zobaczyła długie jak wąż pęto kiełbasek, zmierzające ku nim z kominka. Krzyknęła zaskoczona, ale uświadomiła sobie, że oto zostało spełnione pierwsze życzenie jej męża. Poirytowana jego głupotą, zaczęła go besztać.

- Jesteś taki głupi! - krzyczała na niego. – Nie życzyłeś sobie królestwa, diamentów i kosztowności, tylko pęto kiełbasy!

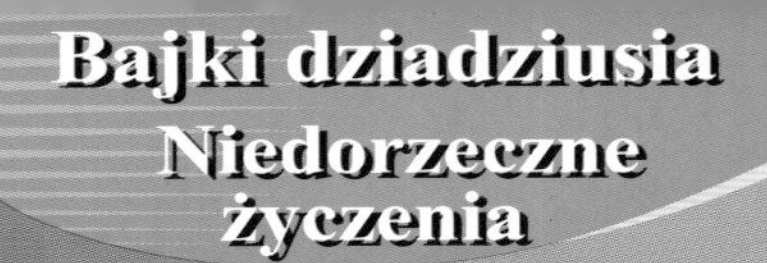

- Niestety – odpowiedział mąż. – Popełniłem błąd, nagle wypowiadając te słowa. Następnym razem zastanowię się, zanim wypowiem życzenie.

-Tak, tak – powiedziała żona. – Teraz wypowiesz wspaniałe życzenie, bo to poprzednie dowodzi tylko, że jesteś osłem.

Mąż bardzo się rozzłościł na taką obelgę.

- Istota ludzka – powiedział – jest stworzona, by cierpieć. Życzę sobie, by ta kiełbasa zwisała z końca twojego nosa!

Gdy wypowiedział te słowa, kiełbaski zawisły na nosie żony. Kobieta, przerażona sytuacją, coraz głośniej krzyczała na niego. Przeszkadzało jej to w mówieniu, więc mąż był zadowolony, że została ukarana.

- Wypowiadając ostatnie życzenie, mogę nadal uczynić się królem – powiedział do siebie. - Ale muszę również pomyśleć o królowej i jej nieszczęściu.

Nie byłoby dobrze, jeżeli miałaby siedzieć na tronie ze swoim nowym, kilometrowym nosem. Musi zdecydować, co woli: czy być królową z takim nosem, czy żoną drwala. Jego żona powiedziała mu, że nie ma zamiaru wyrażać jakichkolwiek życzeń i woli żyć szczęśliwie w biedzie. Dodała również, że w przyszłości nigdy nie będzie miała bogactw, diamentów i wyszukanych strojów, o których śniła, lecz pozostanie sobą, jeżeli ostatnie życzenie uwolni ją od przerażającej kiełbaski na nosie.

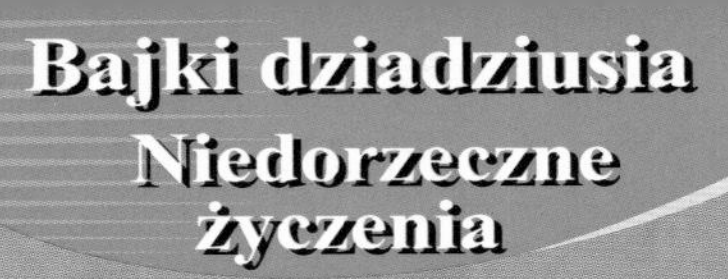

Wobec tego drwal wypowiedział trzecie życzenie, które miało ją uwolnić od kiełbaski na nosie. Kiedy się spełniło, oboje byli szczęśliwi, że mogli pozostać zwykłymi ludźmi. Przestali też narzekać na swój los.

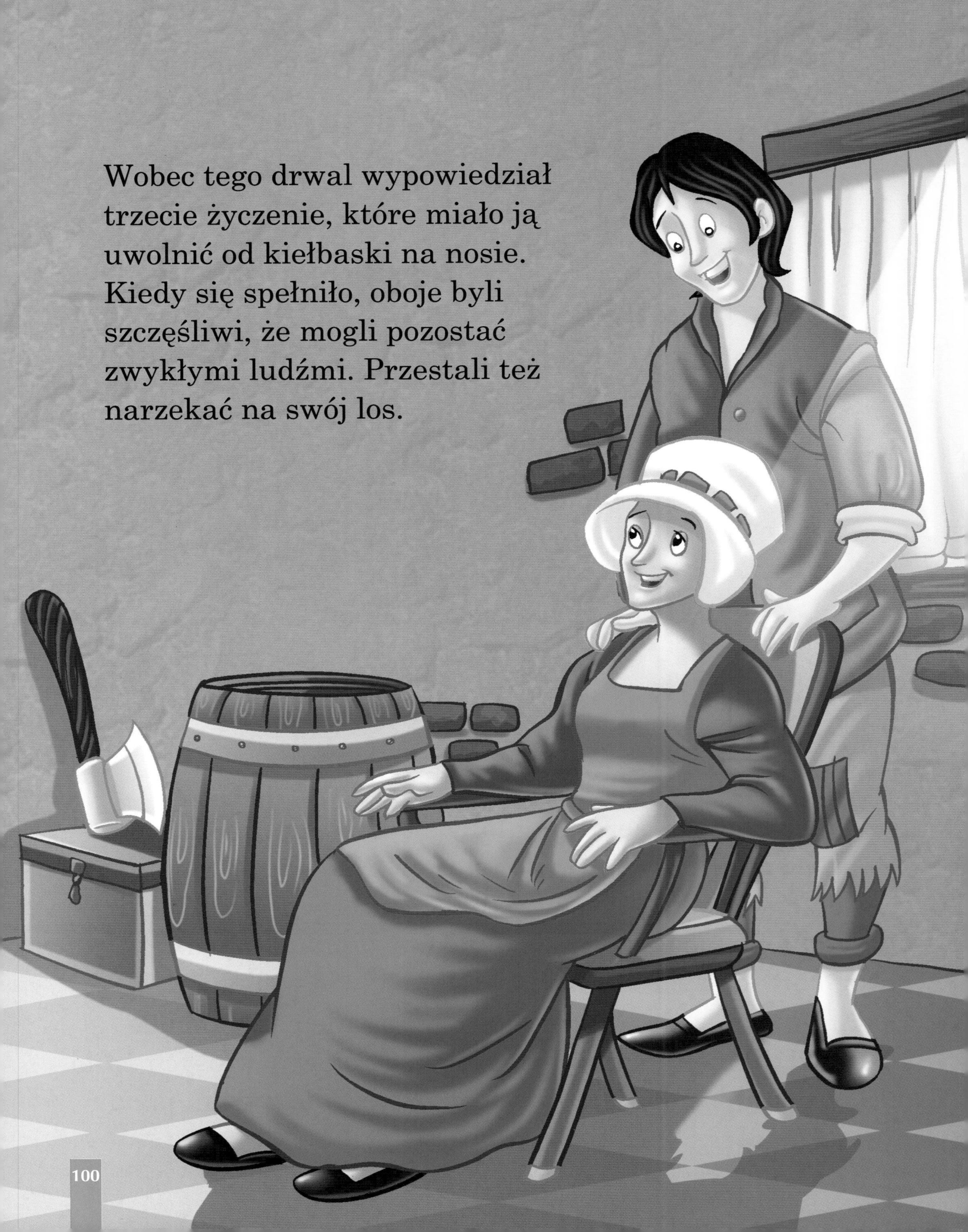

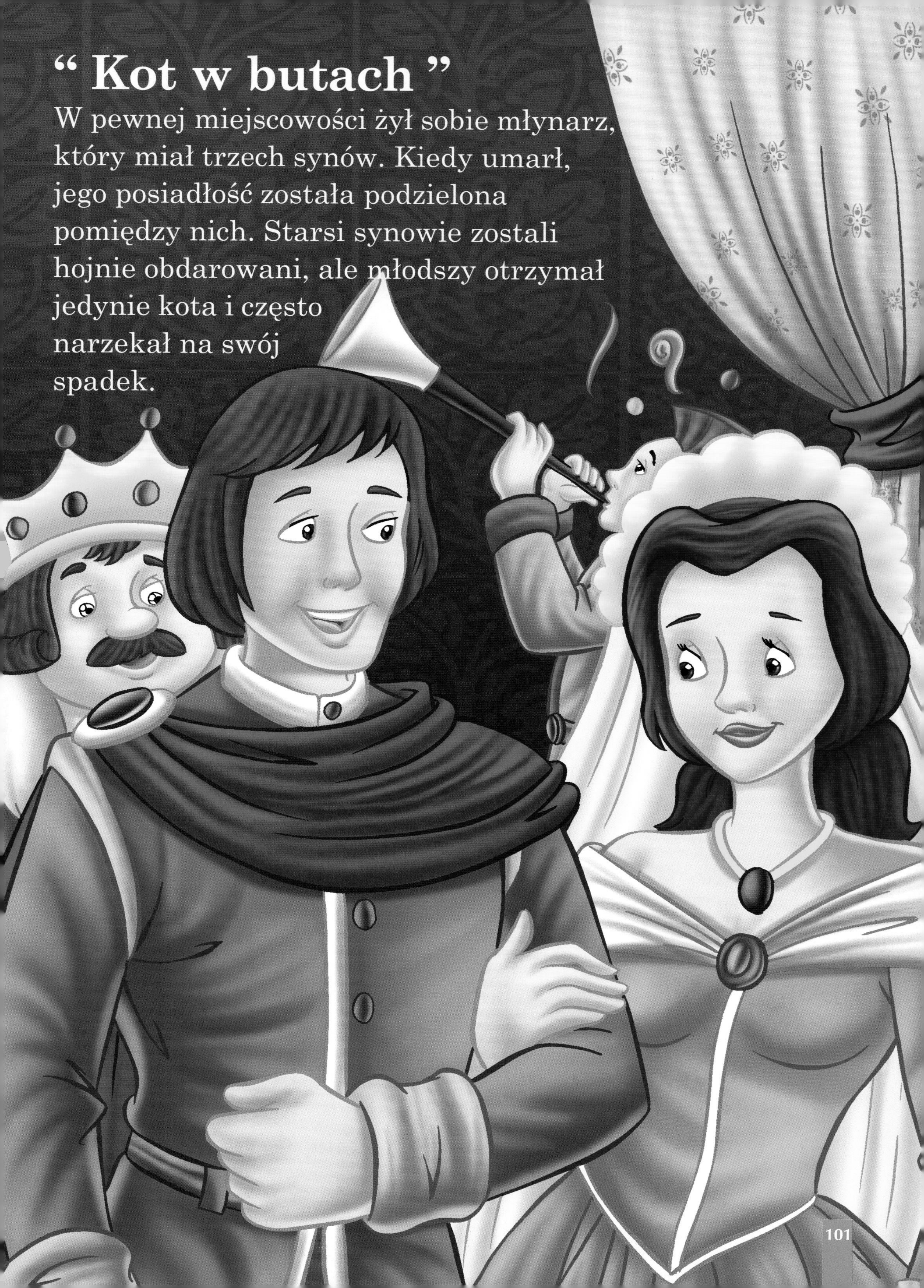

“ Kot w butach ”

W pewnej miejscowości żył sobie młynarz, który miał trzech synów. Kiedy umarł, jego posiadłość została podzielona pomiędzy nich. Starsi synowie zostali hojnie obdarowani, ale młodszy otrzymał jedynie kota i często narzekał na swój spadek.

Młodzieniec był bardzo smutny, ponieważ nie miał nic do jedzenia.
- Nie martw się, mój dobry panie – powiedział kot. – Musisz mi jedynie dać torbę i parę butów zrobionych specjalnie dla mnie, a zobaczysz, że twoja część nie jest tak zła, jak ją sobie wyobrażasz.
Koci pan zdobył dla kota zarówno torbę, jak i buty.
Potem kot w butach wyruszył w świat. Poszedł do królikarni, gdzie było niezmiernie dużo królików. Wziął do swojej torby otręby i pietruszkę i poczekał na niewinnego królika, który miałby ochotę na smakołyki. Niebawem kot złapał dwa młode króliki, które wskoczyły mu do torby. Był bardzo dumny ze swojej zdobyczy. Pospieszył z nią do pałacu i zapytał o audiencję u króla.

Kiedy go przyjęto, kot, kłaniając się nisko, powiedział:
- Panie, przyniosłem ci dwa króliki z królikarni mojego szlachetnego pana, markiza Karabasza (taki tytuł kot w butach nadał swojemu panu). Pan mój rozkazał mi, abym przyniósł Waszej Wysokości te dary. Król bardzo się ucieszył i przyjął dary z przyjemnością. Pewnego dnia kot w butach powiedział swojemu panu:
- Idź do rzeki i wykąp się tam, gdzie ci pokażę.
Markiz Karabasz zrobił dokładnie to, co kot mu poradził. Kiedy zażywał kąpieli, król przejeżdżał nieopodal w swojej karecie, wraz z córką, najcudowniejszą księżniczką na świecie.

Kot w butach zaczął wykrzykiwać:
- Pomocy! Pomocy! Mój pan, markiz Karabasz, zaraz się utopi! Słysząc te krzyki, król rozkazał swoim sługom, by pospieszyli na ratunek. Gdy słudzy wyciągali młodzieńca z rzeki, kot w butach podszedł do karety i powiedział jego wysokości, że złodzieje uciekli z szatami jego pana, a tymczasem to on sam ukrył je pod kamieniem. Król dał markizowi cudowne szaty, aby się godnie przyodział. Odpowiednio ubrany, zrobił na królu ogromne wrażenie. Król zaprosił markiza do swojej karety.

Nie było więc nic dziwnego w tym, że córka króla w jednej chwili zakochała się w markizie. Niebawem kareta minęła pola, gdzie robotnicy pracowali w pocie czoła. Gdy król spytał, do kogo należy pole, odpowiedzieli:
- Do naszego pana, markiza Karabasza.
Król po raz kolejny pochwalił markiza za jego bogate posiadłości. W końcu kot w butach dojechał do okazałego zamku. Należał on do ogra, najbogatszego pośród wszystkich. Ziemie, które przemierzył król tego ranka, należały właśnie do niego. Ogr przywitał kota uprzejmie i poprosił go, by usiadł.
- Dziękuję, proszę pana – powiedział kot – ale mam nadzieję, że wpierw zadowoli pan ciekawość podróżnika. Słyszałem w odległych krainach o pana niezwykłych zdolnościach, a w szczególności o pana zdolności do zamiany w każdy rodzaj bestii, jaki pan zechce – na przykład w lwa lub słonia.

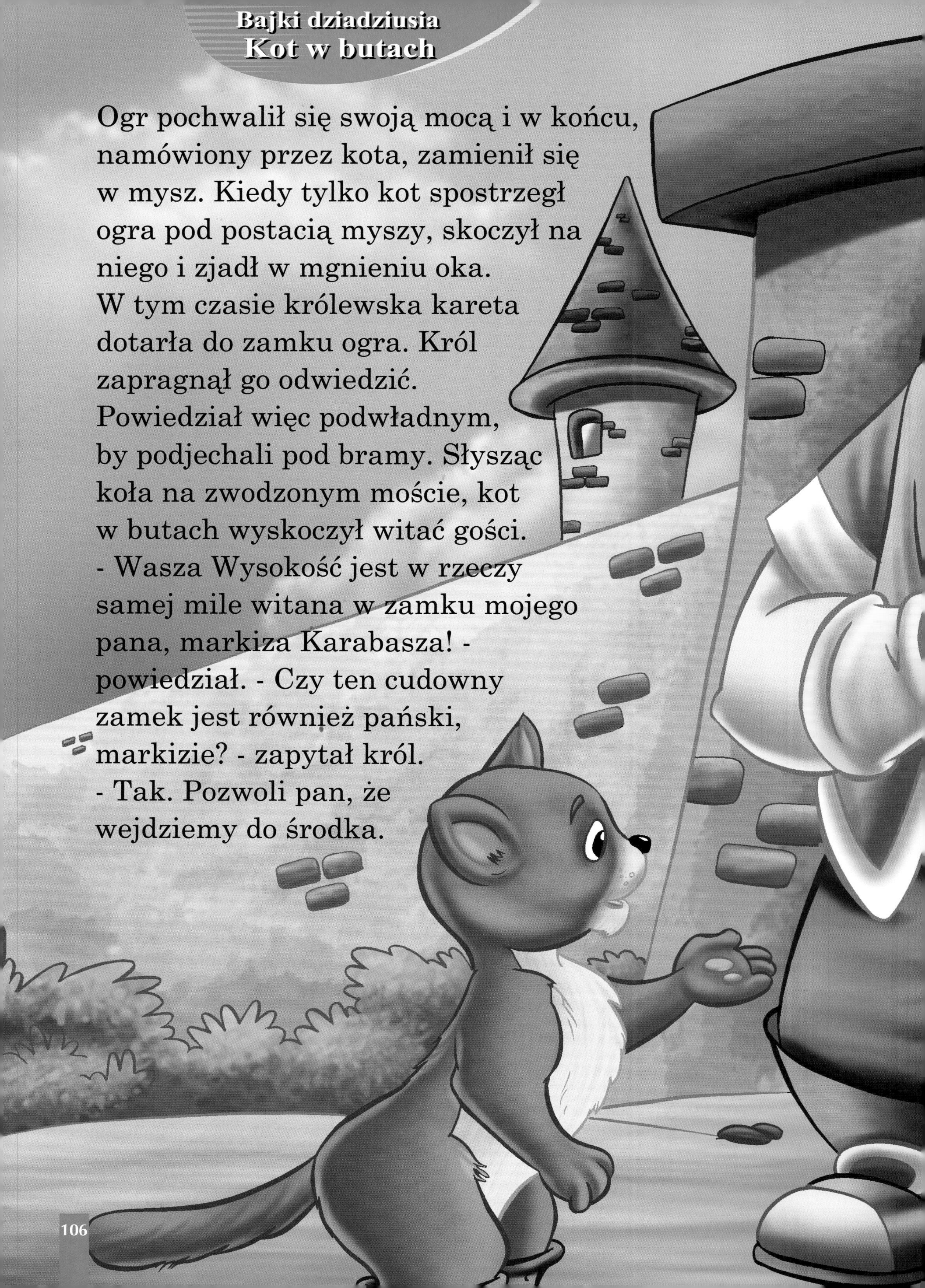

Ogr pochwalił się swoją mocą i w końcu, namówiony przez kota, zamienił się w mysz. Kiedy tylko kot spostrzegł ogra pod postacią myszy, skoczył na niego i zjadł w mgnieniu oka.
W tym czasie królewska kareta dotarła do zamku ogra. Król zapragnął go odwiedzić. Powiedział więc podwładnym, by podjechali pod bramy. Słysząc koła na zwodzonym moście, kot w butach wyskoczył witać gości.
- Wasza Wysokość jest w rzeczy samej mile witana w zamku mojego pana, markiza Karabasza! - powiedział. - Czy ten cudowny zamek jest również pański, markizie? - zapytał król.
- Tak. Pozwoli pan, że wejdziemy do środka.

Markiz podał ramię księżniczce i podążyli za królem do zamku. W olbrzymiej sali zastali wytworną ucztę, przygotowaną przez ogra dla jego przyjaciół. Król był tak oczarowany dobrymi manierami markiza Karabasza, że w trakcie bankietu oświadczył:

- Będzie to jedynie pańską winą, gdy nie stanie się pan niebawem moim zięciem, drogi markizie!

I tak, po krótkim narzeczeństwie, księżniczka stała się żoną markiza i żyli długo i szczęśliwie. Kot w butach został mianowany wielkim lordem, nosił najpiękniejsze ubrania i nigdy więcej nie biegał za myszą, chyba że dla przyjemności.

" Orzeł i lis "

Pewnego razu żyli sobie orzeł i lis. Byli bliskimi przyjaciółmi. Zdecydowali się zamieszkać obok siebie. Orzeł zbudował sobie gniazdo w konarach wielkiego drzewa, a lis zamieszkał w korzeniach i tam miał młode. Któregoś dnia, kiedy nie było w norze lisa, orzeł, szukając pożywienia dla swoich młodych, złapał jednego liska i nakarmił nim siebie i swoje potomstwo. Lis po powrocie odkrył, co się stało, lecz mniej żałował śmierci swojego dziecka, jak niemożności pomszczenia go. Ręka sprawiedliwości dosięgła jednak orła. Gdy zniżył się nad ołtarz, na którym wieśniacy składali ofiarę z kozła, złapał szybko kawałek mięsa i zaniósł go wraz z płonącym zarzewiem prosto do swojego gniazda. Silny podmuch rozdmuchał zarzewie w płomień, a małe orlątka, jeszcze nieopierzone i bezbronne, zostały upieczone w gnieździe i spadły pod drzewo. Tam, na oczach orła, lis je pożarł.

ZŁO POWRACA ZE ZDWOJONĄ SIŁĄ

" Lis i żuraw "

Pewnego dnia lis spotkał żurawia i zaprosił go do swojego domu na kolację.

- Dziś wieczorem urządzam przyjęcie w moim domu i chcę, byś był moim gościem – powiedział lis.

Żuraw przyjął zaproszenie i obiecał, że będzie na czas. Wieczorem żuraw dotarł do lisa, który serdecznie przywitał gościa. Nie zaproponował mu nic poza zupą z grochu, którą nalał do dużego, płaskiego, kamiennego talerza. Zupa wylewała się z długiego dzioba żurawia przy każdej próbie jej zjedzenia. Utrapienie gościa stanowiło dla lisa nie lada zabawę. Żuraw poczuł się urażony i postanowił dać lisowi nauczkę. Tym razem żuraw zaprosił lisa, by zjadł razem z nim. Postawił przed nim flakon z długą, wąską szyją, tak że mógł z łatwością zmieścić w nim swój dziób i rozkoszować się zawartością. Lis, nie mogąc nawet spróbować zupy, został ukarany za to, w jaki sposób potraktował żurawia.

JAK TY KOMU, TAK ON TOBIE

“ Nowe szaty cesarza “

Dawno, dawno temu żył sobie władca, który tak mocno pragnął nowych szat, że gotów był wydać wszystkie swoje pieniądze, aby je zdobyć. Jego jedynym marzeniem stało się być zawsze dobrze ubranym. Nie dbał o swoich żołnierzy i podwładnych. Pewnego dnia do miasta przybyło dwóch oszustów. Wmówili ludziom, że są tkaczami i oznajmili, że mogą uszyć najpiękniejsze odzienie, jakie człowiek może sobie wyobrazić.

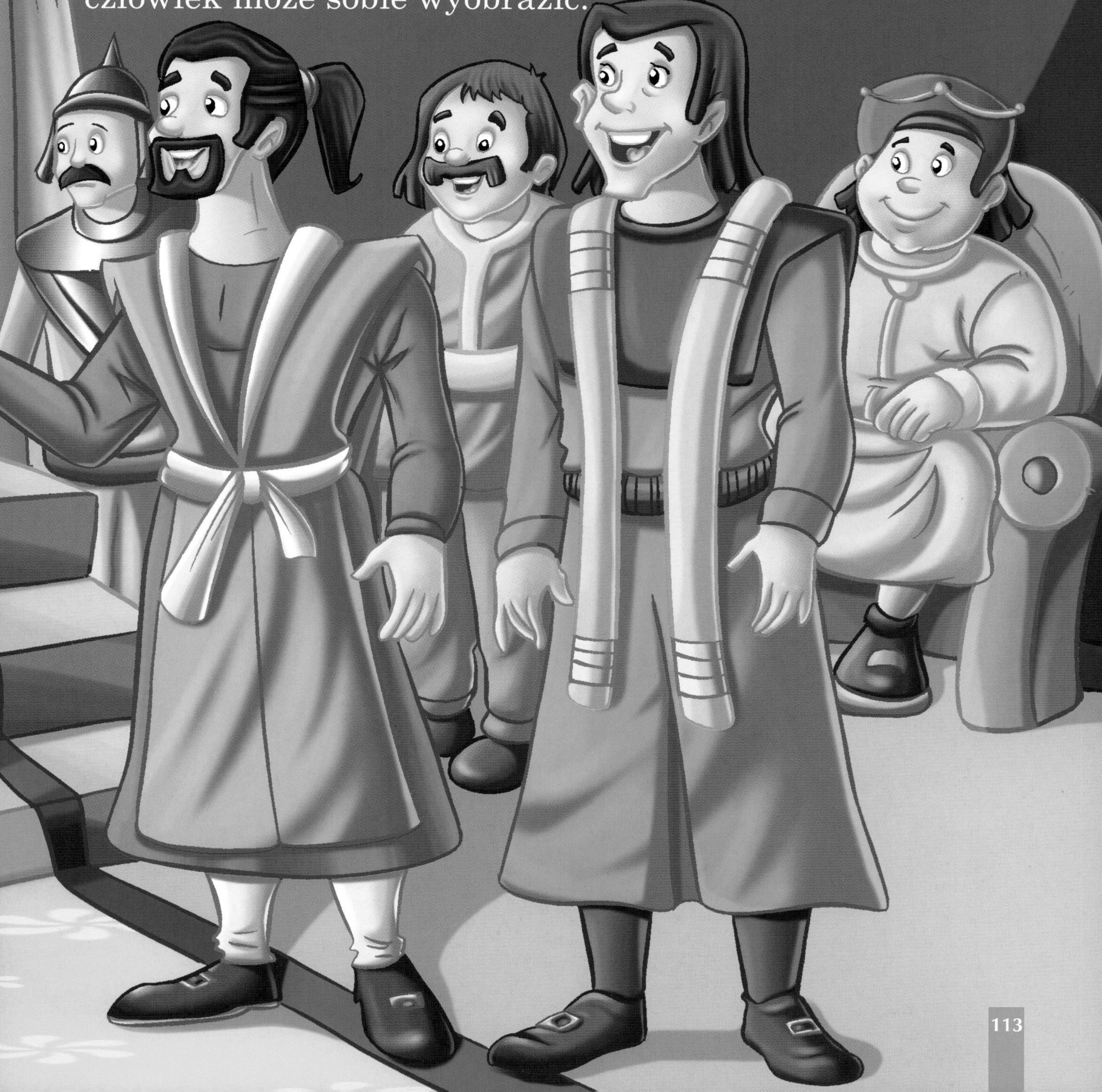

Ich kolor i wzór, twierdzili, będzie nie tylko niezwykle piękny, ale również magiczny. Ubrania utkane z ich materiału będą miały nadnaturalną moc znikania na każdym, komu nie przystoi piastowane stanowisko i będą niewidzialne dla głupich.

"To musi być przepiękne ubranie - pomyślał władca, słysząc wieści o dwóch mężczyznach - muszę mieć je niezwłocznie". Dał dużą sumę pieniędzy oszustom, oczekując, że zabiorą się do pracy bez zwłoki. Oni zaś ustawili dwa krosna i udawali, że pracują bardzo ciężko, lecz na krosnach nic nie powstawało. Poprosili o najznakomitszy jedwab i najcenniejsze złote nici. Pozbyli się wszystkiego z dużym zyskiem i dalej pracowali na pustych krosnach do późnej nocy.
"Chciałbym wiedzieć, jak idą pracę nad nowym ubraniem - pomyślał władca - muszę wysłać mojego najbardziej zaufanego ministra do tkaczy. On oceni najlepiej, jak idą prace, ponieważ jest inteligentny. Nikt nie wykonuje swoich obowiązków lepiej niż on". Stary, dobry minister poszedł do pokoju, gdzie przed pustymi krosnami siedzieli oszuści.

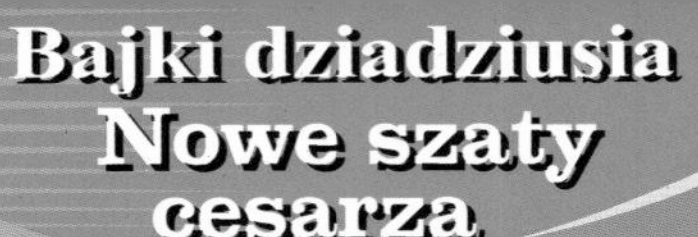

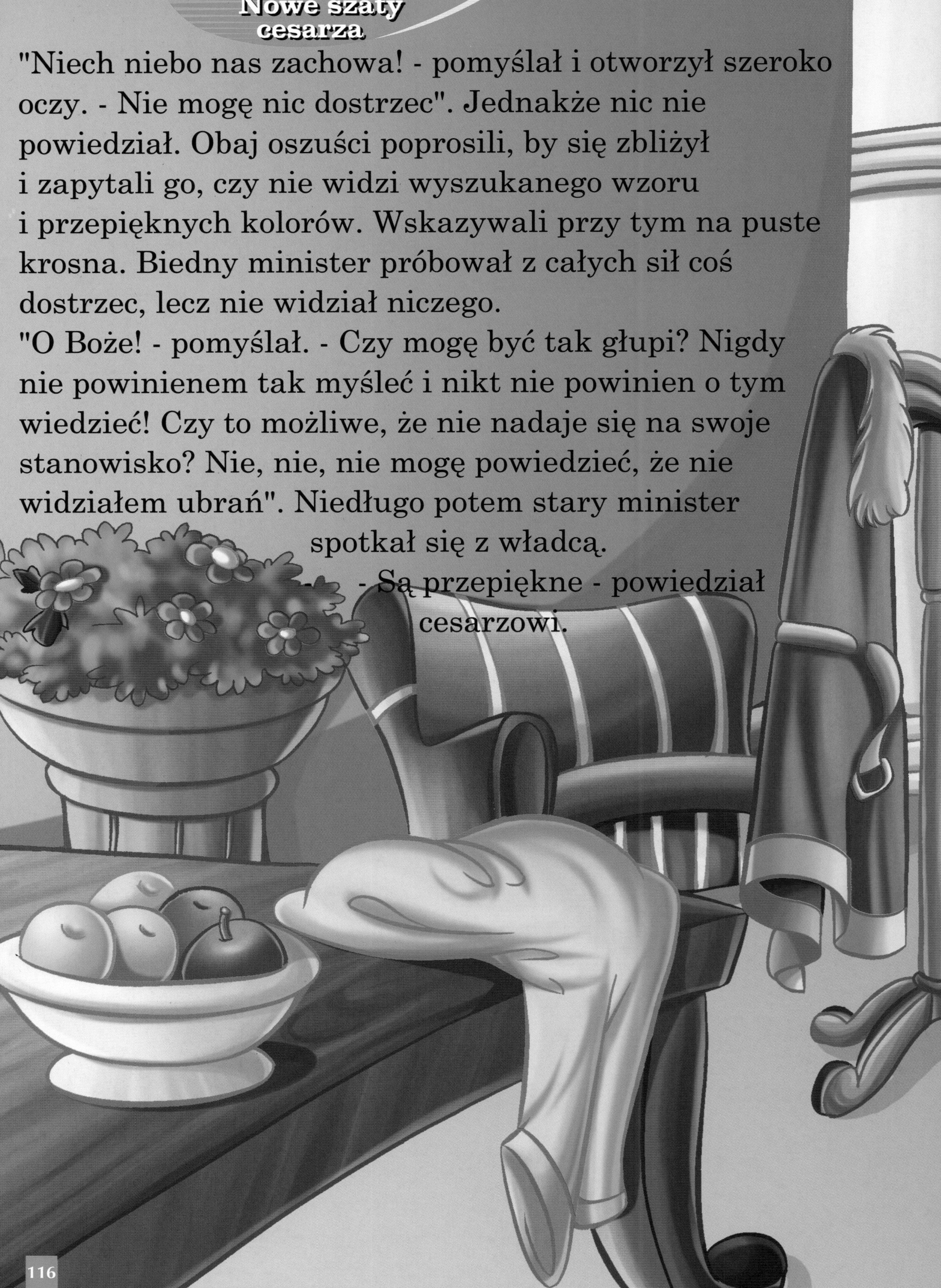

"Niech niebo nas zachowa! - pomyślał i otworzył szeroko oczy. - Nie mogę nic dostrzec". Jednakże nic nie powiedział. Obaj oszuści poprosili, by się zbliżył i zapytali go, czy nie widzi wyszukanego wzoru i przepięknych kolorów. Wskazywali przy tym na puste krosna. Biedny minister próbował z całych sił coś dostrzec, lecz nie widział niczego.

"O Boże! - pomyślał. - Czy mogę być tak głupi? Nigdy nie powinienem tak myśleć i nikt nie powinien o tym wiedzieć! Czy to możliwe, że nie nadaje się na swoje stanowisko? Nie, nie, nie mogę powiedzieć, że nie widziałem ubrań". Niedługo potem stary minister spotkał się z władcą.

- Są przepiękne - powiedział cesarzowi.

Słowa starego ministra bardzo ucieszyły cesarza. Wszyscy w mieście mówili o drogocennych szatach. W końcu władca zażyczył sobie ujrzeć te wspaniałe stroje i wezwał oszustów do siebie. Oszuści pojawili się przed cesarzem, trzymając ręce w górze, tak jakby coś w nich trzymali i powiedzieli:
- To są spodnie!
- To jest surdut!
- To jest płaszcz!

Wszystkie one są tak lekkie jak pajęczyna i ten, kto je nosi, ma wrażenie, jakby nie nosił niczego, co czyni je jeszcze piękniejszymi.
- W rzeczy samej! -powiedzieli dworzanie, lecz nie ujrzeli niczego, jako że nic nie było do zobaczenia.
- Czy wasza wysokość raczy się rozebrać, byśmy mogli pomóc założyć nowe szaty przed dużym zwierciadłem?
Władca rozebrał się, a oszuści udawali, że zakładają na niego nowe szaty, jedną za drugą, a władca przeglądał się w lustrze ze wszystkich stron.
- Jakże pięknie one wyglądają! Jakże dobrze pasują! - mówili wszyscy. - Cóż za piękny wzór! Cóż za żywe kolory! Te szaty są przecudowne!
Mistrz ceremonii ogłosił, że parada, podczas której cesarz miał zaprezentować poddanym nowe szaty, jest już gotowa.

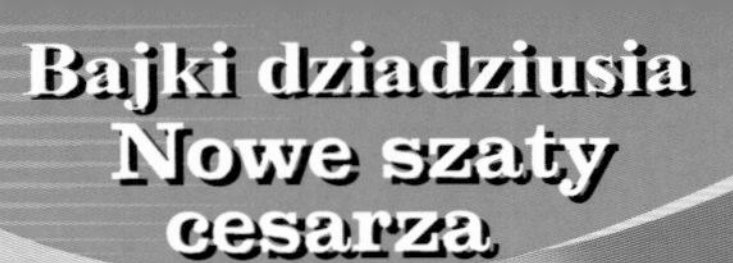

- Ja też jestem gotów - powiedział władca. - Czyż nowe szaty nie leżą na mnie idealnie? Następnie obrócił się do lustra, tak by ludzie myśleli, że podziwia nowy strój.

Władca szedł w paradzie pod przepiękną peleryną i wszyscy, którzy widzieli go na ulicy i przez okna, krzyczeli:

- Rzeczywiście, nowe szaty króla są cudowne! Nikt nie życzył sobie bowiem, by inni pomyśleli, że nic nie widzi.

- Ale on nie ma nic na sobie! - wykrzyknęło nagle małe dziecko.

- Wielkie nieba! Słuchajcie głosu niewinnego dziecka! - zawołał jego ojciec, a wszyscy zaczęli szeptać o tym, co ono powiedziało.

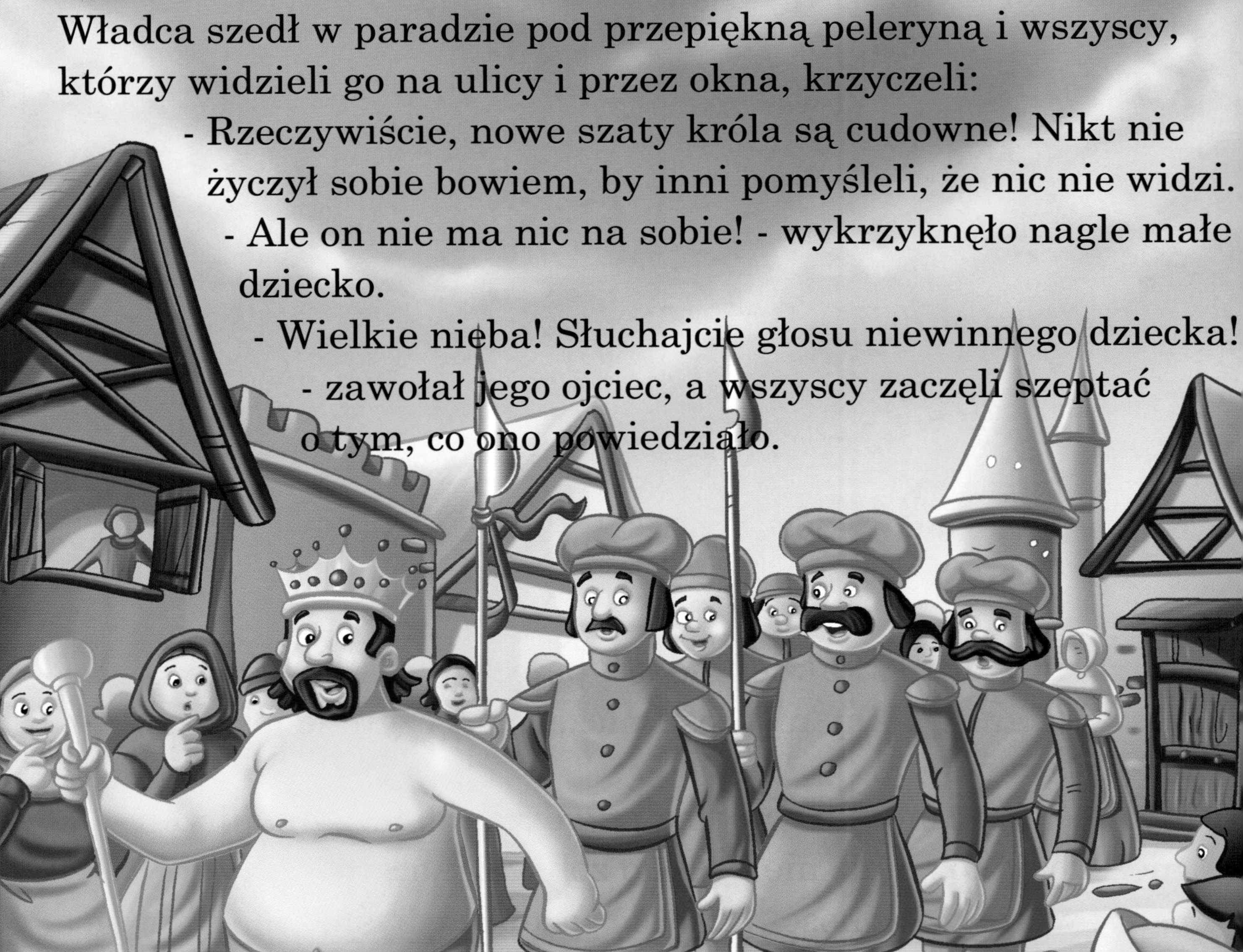

- Ależ on nie ma nic na sobie! Król jest nagi! - zawołali nagle głośno wszyscy zgromadzeni.

Głosy tłumu wywarły wielkie wrażenie na władcy, lecz pomyślał sobie:

- Teraz muszę wytrwać do końca.

Jego ochmistrzowie szli, zachowując coraz większą powagę, jakby nieśli coś wspaniałego, a przecież to w ogóle nie istniało.

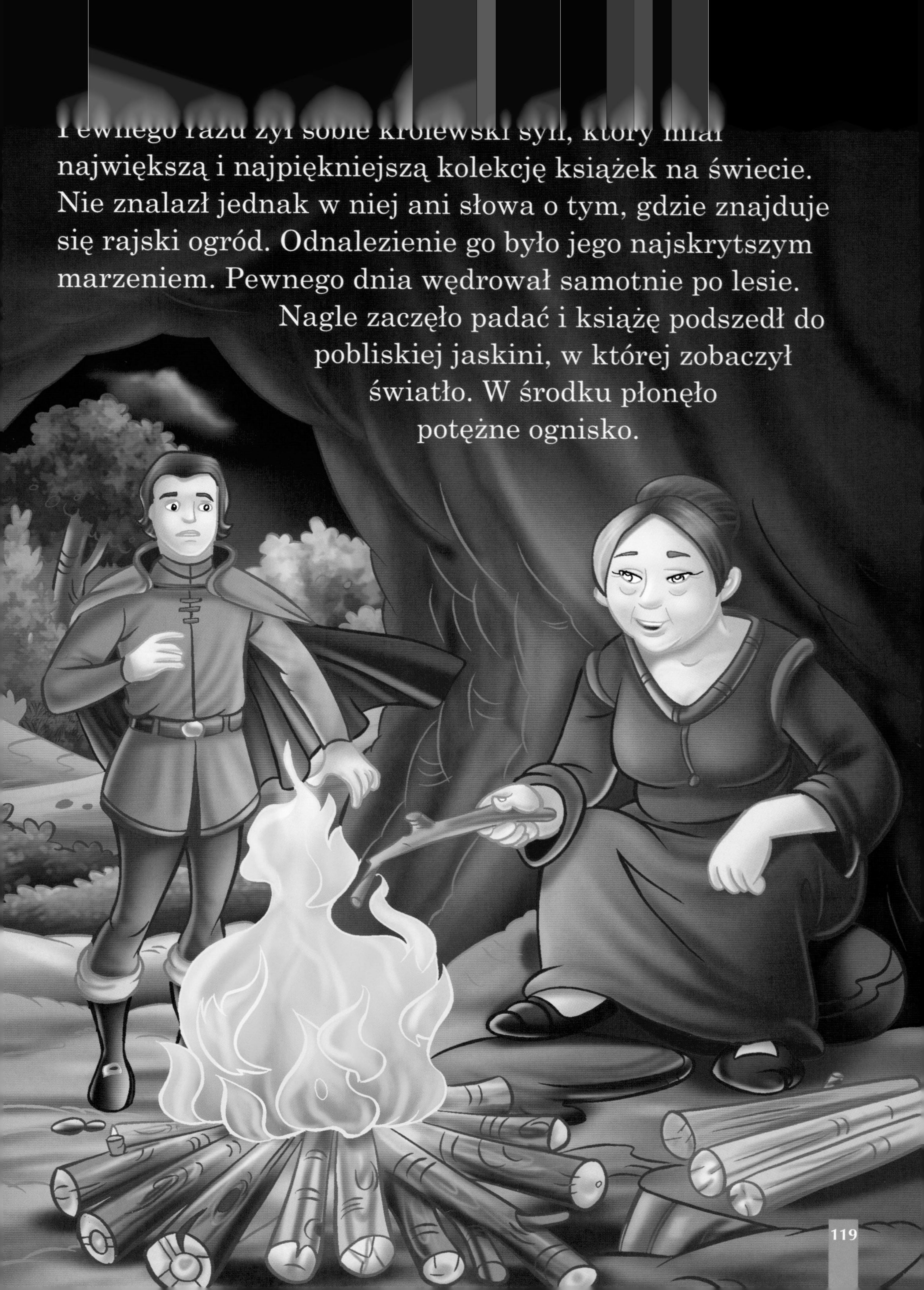

Pewnego razu żył sobie królewski syn, który miał największą i najpiękniejszą kolekcję książek na świecie. Nie znalazł jednak w niej ani słowa o tym, gdzie znajduje się rajski ogród. Odnalezienie go było jego najskrytszym marzeniem. Pewnego dnia wędrował samotnie po lesie. Nagle zaczęło padać i książę podszedł do pobliskiej jaskini, w której zobaczył światło. W środku płonęło potężne ognisko.

Gdy wszedł do niej, zauważył starszą kobietę, która siedziała przy ogniu i wrzucała do niego kawałki drewna, jeden po drugim.

- Proszę, wejdź! – powiedziała do księcia.
- Usiądź przy ogniu i osusz się.

Pani była matką czterech niebiańskich wiatrów – Wiatru Północnego, Południowego, Wschodniego i Zachodniego.

Jeden po drugim przybywały Wiatry Północny, Południowy i Zachodni, opowiadając swojej matce o napotkanych przygodach. Wszystkie wiele podróżowały, ale żaden nie mógł sobie przypomnieć o rajskim ogrodzie, o który dopytywał książę. W końcu przybył Wiatr Wschodni ubrany jak Chińczyk. Powiedział swojej matce, że odwiedzi rajski ogród następnego dnia. Gdy książę dowiedział się, że Wiatr Wschodni powędruje do rajskiego ogrodu, poprosił, by zabrał go ze sobą. Wschodni Wiatr zgodził się i kolejnego dnia książę, siedząc na plecach wiatru, zmierzał do wymarzonego miejsca. Niebawem obydwaj dotarli do rajskiego ogrodu. Tam spotkali rajską wróżkę. Oprowadziła ich po ogrodzie. Zaprowadziła również do drzewa ze zwisającymi gałęziami, na których były złote jabłka. Było to Drzewo Dobra i Zła, z którego Adam i Ewa zerwali i zjedli zakazany owoc. Po zjedzeniu owocu obydwoje zostali wypędzeni z ogrodu. Wiatr Wschodni i książę zobaczyli jeszcze wiele interesujących miejsc.

- Czy mogę tu pozostać na wieki? - zapytał książę wróżki.
- To zależy od ciebie – odpowiedziała. – Jeżeli tu pozostaniesz, będziesz tęsknił jak Adam za tym, co zakazane.

Wróżka dodała:

- Każdego wieczora, gdy będę odchodzić, zobowiązana będę powiedzieć: „Chodź ze mną" i pozdrowię cię ręką. Lecz nie możesz mnie posłuchać lub ruszyć z miejsca, aby za mną podążyć.

- Pozostanę – powiedział książę.
Wiatr Wschodni chciał już iść i zapytał księcia, czy mu potowarzyszy. Książę odmówił i Wiatr Wschodni pozdrowił go i odszedł. Jednakże gdy książę podążał za wróżką przez ogród, Wiatr Wschodni zobaczył go zza drzewa. Właściwie książę nigdy nie opuścił ogrodu. Gdy słońce zaczęło zachodzić, całe niebo stało się purpurowo–złote i zabarwiło lilie różanym odcieniem. Niebawem przepiękne niewiasty oferowały księciu musujące wino i gdy je wypił, poczuł w sobie szczęście, którego nie doświadczył nigdy w swoim życiu.

W pewnym momencie sklepienie niebieskie otworzyło się i pojawiło się Drzewo Wiedzy, otoczone aureolą, która o mało nie oślepiła księcia. Następnie wróżka pozdrowiła go i powiedziała przecudownym głosem:

- Chodź ze mną, chodź ze mną!

Zapominając o swojej obietnicy, książę pospieszył ku niej. Gdy odnalazł wróżkę, spała. Uśmiechnęła się, gdy nachylił się nad nią i dotknął jej ust swoimi ustami.

- Cóż ja uczyniłem? – westchnął, gdy ją pocałował – zgrzeszyłem tak jak Adam. I wtedy rajski ogród pochłonęła ziemia.

Cały ogród wydawał się wirować wokół niego, a książę zapadł w głęboki sen. Gdy obudził się, znajdował się w głuchej puszczy, w pobliżu jaskini, w której matka wiatrów siedziała u jego boku. Była wyraźnie poirytowana i uniosła rękę w powietrze, mówiąc:

- W pierwszy wieczór! Tego się mogłam spodziewać!

Następnie przyszła śmierć z kosą w ręku i ostrzegła księcia, że jeżeli jego uczynki nie będą prawe, z pewnością nie zabierze go do bram nieba.

" Lis i koza "

Pewnego dnia lis wpadł do studni i nie mógł się z niej wydostać. Nagle, spragniona koza podeszła do studni i, widząc lisa, zapytała, czy woda jest dobra. Lis odpowiedział, że tak. Koza, myśląc jedynie o tym, jak bardzo chce jej się pić, bezmyślnie wskoczyła do studni. Zaraz po tym jak ugasiła pragnienie, lis powiedział jej, w jak trudnym położeniu się znajdują i zaproponował drogę ucieczki.

- Jeżeli - powiedział - oprzesz swoje przednie kopyta o ścianę i pochylisz głowę, przebiegnę po twoich plecach, ucieknę i potem ci pomogę.

Koza zgodziła się i lis wskoczył jej na plecy. Asekurując się rogami kozy, dotarł do brzegu studni i wyskoczył tak szybko, jak tylko mógł. Ani myślał pomóc uwięzionej kozie. Gdy koza skarciła go za złamanie obietnicy, odwrócił się i zawołał:

- Ty stara, głupia kozico! Jeżeli miałabyś tyle samo rozumu w głowie, co włosów na brodzie, nigdy nie zeszłabyś na dół, nie sprawdzając najpierw drogi wyjścia, ani nie naraziłabyś się na niebezpieczeństwo, przed którym nie ma możliwości ucieczki.

POPATRZ, ZANIM WSKOCZYSZ

" Niedźwiedź i osy "

Pewnego razu żył sobie w lesie niedźwiedź. Gdy nadeszła zima, niedźwiedź zdał sobie sprawę, że nie ma nic do jedzenia i wyruszył na poszukiwanie pożywienia. Gdy wędrował po lesie, zobaczył powalone drzewo, w którym rój os trzymał swój miód. Wiedząc, że niedźwiedź może zjeść miód, mała osa ostrzegała go, by nie dotykał miodu. Gdy spostrzegła, że niedźwiedź idzie zjeść miód, nie mogła się powstrzymać i ukąsiła niedźwiedzia w nos, szybko uciekając do pnia. Niedźwiedź stracił cierpliwość i zawołał:

- Zabiję cię. Lecz niebawem pomyślał: "Jak ja to zrobię? Niełatwo jest ją złapać".

Niedźwiedź wpadł na pomysł, by zniszczyć całe gniazdo.

To jedynie ostrzegło osy i w mgnieniu oka cały rój wyleciał z pnia i zaczął żądlić niedźwiedzia od stóp po głowę. Niedźwiedź ocalił skórę ucieczką i zanurkował w najbliższym źródełku.

KTO INNYM SZKODZI, TEMU SIĘ ŹLE POWODZI

" Chłopiec, który wołał o pomoc "

Dawno temu był sobie mały pasterz, który opiekował się swoimi owcami u podnóża góry, w pobliżu lasu. Chłopiec spędził kilka dni, dbając o stado, lecz w końcu znudził się wieloma godzinami na pastwisku.

Pewnego dnia postanowił się zabawić, krzycząc głośno:
- Wilk! Wilk!
Niedługo potem na polanę wbiegli chłopi z wioski, w pełnej gotowości. Widząc chłopów biegnących ku pastwisku, chłopiec zaśmiał się na głos. Chłopi rozzłościli się, widząc takie zachowanie, lecz chłopiec nie żałował zbytnio swojego postępku i śmiał się przez długi czas.
Następnego dnia znowu bawił się w ten sam sposób, krzycząc:

- Wilk! Wilk!
Na pastwisko przybiegło wielu ludzi, by uratować owce przed kłami wilka. Chłopiec znów zrobił z chłopów głupców. Bawił się z nimi w ten sposób przez długi czas. Pewnego dnia, gdy chłopiec pasł owce, na pastwisko przybył prawdziwy wilk. Chłopiec zawołał:
- Wilk! Wilk!
Lecz tym razem nikt nie przyszedł na pomoc. W ten sposób chłopiec zrozumiał swój błąd i dostał lekcję, by z nikogo nie robić głupca.

NIE WYWOŁUJ WILKA Z LASU

“ Brzydkie kaczątko “

Panowało lato. Przy rzece znajdowała się chatka rolnika. Miejsce to było tak dzikie, jak środek puszczy. W tym zaciszu siedziała kaczka, czekając aż wyklują się jej dzieci. W pewnym momencie skorupki zaczęły pękać, jedna po drugiej, i z każdego jajka wykluło się maleństwo, które uniosło głowę i zawołało: - Kwak, kwak.

- Kwak, kwak - odpowiedziała matka, po czym rozległo się głośne kwakanie.

Jednakże jedno z jajek nadal leżało tak jak przed kilkoma dniami i kacza matka musiała je nadal wysiadywać. Zmęczyła się, lecz z jajka nic się nie wykluło. Myślała nawet o porzuceniu go. Nagle duże jajko pękło i pisklę wydostało się, krzycząc:
- Kwak, kwak. Było ono bardzo duże i brzydkie. Kaczka popatrzyła na nie i rzekła:
- Ono jest bardzo duże i w ogóle nie przypomina innych piskląt. Zastanawiam się, czy to nie jest przypadkiem indyk. Niedługo się dowiemy. Wszak wkrótce pójdziemy do wody. Ono musi wejść, nawet jeśli będę musiała je wepchnąć.

Następnego dnia pogoda była przepiękna, a słońce odbijało się na zielonych liściach łopianu. Kaczka wzięła swoje młode do wody. Wpierw sama wskoczyła do niej ochoczo.

- Kwak, kwak – zakrzyczała kaczka i małe kaczątka, jedno po drugim, wskoczyły za nią do wody.

Woda zamykała się nad ich głowami, ale wypływały w mgnieniu oka, ładnie pływając i machając nóżkami z wielką łatwością. Brzydkie kaczątko pływało razem z nimi.

- Ach! – powiedziała matka. – To na pewno nie jest indyk. Jak wspaniale używa swoich nóżek, kiedy pływa, i jak prosto trzyma głowę!

Jest moim dzieckiem i wcale nie jest takie brzydkie, jeśli się mu dobrze przyjrzeć. Kacza matka wzięła je do starszyzny i przedstawiła na farmie. Jednakże wszyscy wyśmiewali je, mówiąc, że jest ono bardzo brzydkie i niepodobne do innych kaczek. Kaczka wzięła brzydkie kaczątko do domu, chcąc zapewnić mu dobrą opiekę. Jednak kaczątko poczuło się zawstydzone, ponieważ nie było tak piękne, jak reszta jego sióstr i braci. Czuło się gorsze i zastanawiało się nad swoim losem. Na całej farmie ciągle wyśmiewano je, mówiąc że jest brzydkie i nie przynależy do nich. Po jakimś czasie brzydkie kaczątko opuściło farmę. Błąkało się całe lato i jesień, jako że nikt nie chciał się nim zaopiekować i niemal zamarzło w zimnym źródełku.

Mimo że zostało uratowane przez człowieka, nie mogło żyć w niewoli i wróciło na wolność. Przed końcem zimy, o dziwo, było jeszcze przy życiu. Czuło się jednak bardzo źle z powodu swojego wyglądu. Pewnego razu, bardzo smutne, powędrowało do źródełka w ogrodzie, gdzie pływały piękne, białe łabędzie. Zaczęło przyglądać się im z zaciekawieniem i wręcz oniemiało na ich widok. Zapragnęło przyłączyć się do nich.

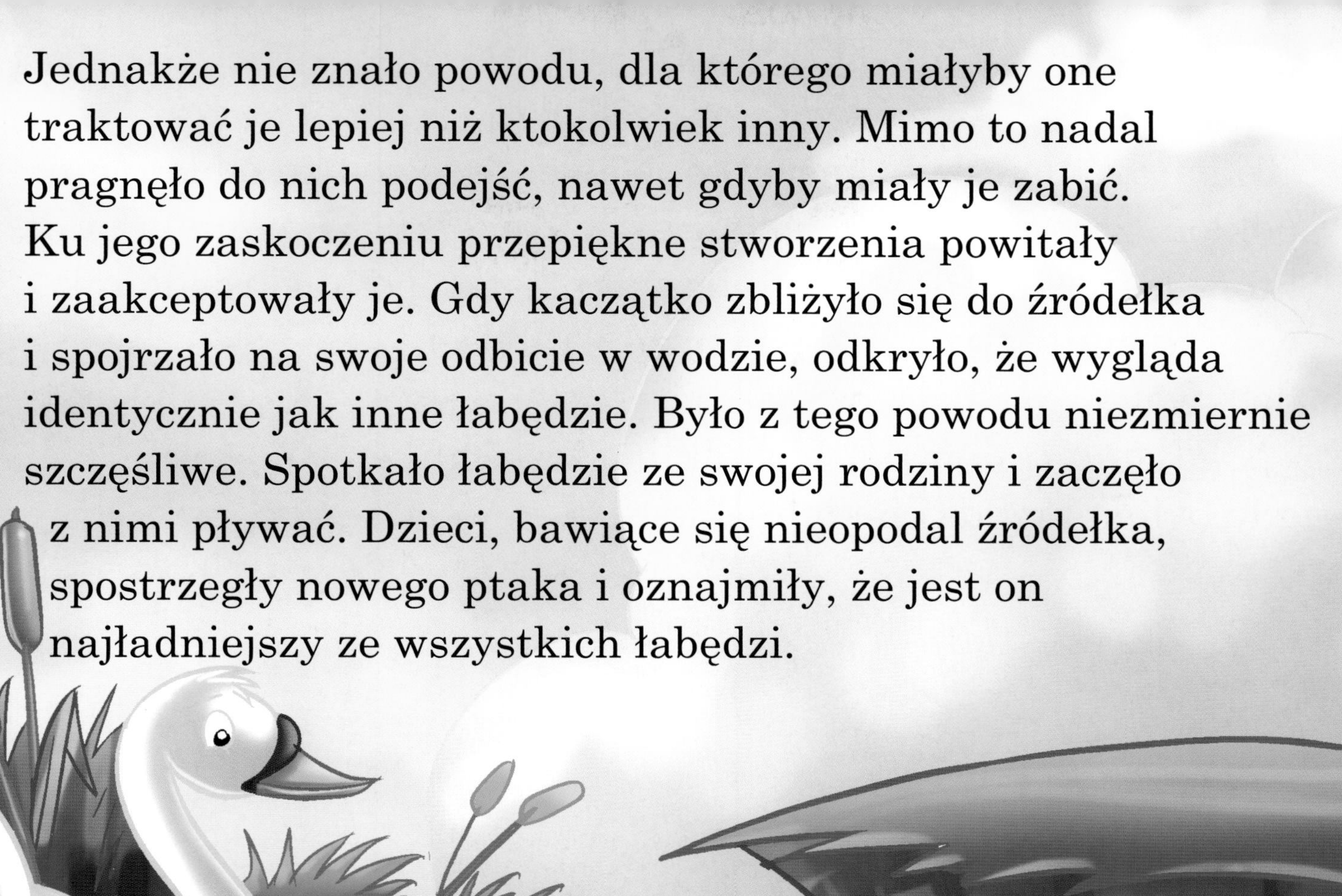

Jednakże nie znało powodu, dla którego miałyby one traktować je lepiej niż ktokolwiek inny. Mimo to nadal pragnęło do nich podejść, nawet gdyby miały je zabić. Ku jego zaskoczeniu przepiękne stworzenia powitały i zaakceptowały je. Gdy kaczątko zbliżyło się do źródełka i spojrzało na swoje odbicie w wodzie, odkryło, że wygląda identycznie jak inne łabędzie. Było z tego powodu niezmiernie szczęśliwe. Spotkało łabędzie ze swojej rodziny i zaczęło z nimi pływać. Dzieci, bawiące się nieopodal źródełka, spostrzegły nowego ptaka i oznajmiły, że jest on najładniejszy ze wszystkich łabędzi.

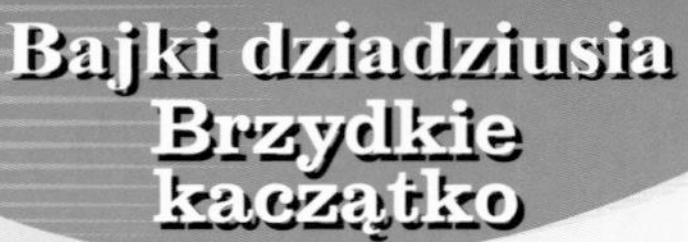

To bardzo ucieszyło kaczątko. Nawet drzewo bzu oddało mu pokłon, zanurzając swoje gałęzie w źródełku. Wspaniały ptak, który jeszcze niedawno był brzydki, zatrzepotał skrzydłami, wygiął smukłą szyję i zakrzyczał z radości, dobywając głos prosto z serca:

- Nigdy nie śniłem o tak wielkim szczęściu, gdy byłem brzydkim kaczątkiem!

" Słowik "

Pewnego razu żył sobie chiński władca. Posiadał najpiękniejszy pałac na świecie, który był wykonany z porcelany, a więc tak delikatny i kruchy, że ktokolwiek go dotykał, musiał bardzo uważać, żeby nic nie uszkodzić. W ogrodzie zaś rosły najpiękniejsze kwiaty, z przywiązanymi do nich małymi, srebrnymi dzwonkami.

Słowik

Każdy, kto przechodził nieopodal, zwracał na nie uwagę. Na jednym z drzew żył sobie słowik, który przepięknie śpiewał. Do miasta przybywali podróżni ze wszystkich stron świata i podziwiali jego posiadłość. Byli onieśmieleni widokiem pałacu i ogrodów. Jednakże słysząc słowika, mówili że jest on najwspanialszy ze wszystkich cudów. Kiedy wracali do domu, opowiadali o tym, co widzieli. Uczeni tworzyli książki opisujące miasto, pałac i ogrody i oczywiście słowika, który był najpiękniejszy. Księgi obiegły cały świat, a niektóre z nich trafiły w ręce cesarza, który siedział na swoim złotym tronie i, czytając je, cieszył się przepięknymi opisami miasta, pałacu i ogrodów.

Kiedy jednak czytał o słowiku ze swojego ogrodu, był zaskoczony, ponieważ nie wiedział o istnieniu stworzenia najwspanialszego spośród wszystkiego, co posiadał. Zawołał jednego ze swoich podwładnych i rozkazał mu, aby sprowadził dla niego słowika przed nastaniem nocy. Podwładny i połowa dworu wyruszyli w poszukiwaniu ptaka, lecz nie udało im się go znaleźć. W końcu spotkali w kuchni biedną, małą dziewczynkę, która powiedziała:

- Ach, oczywiście, znam dobrze tego słowika. Doprawdy potrafi on cudownie śpiewać.

Na prośbę poszukujących dziewczynka zabrała wszystkich do ogrodu, gdzie śpiewał ptak.

- Słuchajcie, słuchajcie! Tam jest - mówiła. - Tam siedzi! - dodała, wskazując na małego ptaszka, siedzącego na gałęzi.
- Mały słowiku! - zawołała dziewczynka.
- Nasz najznamienitszy władca życzy sobie, byś przed nim zaśpiewał. - Moje pieśni brzmią najpiękniej pośród zielonych drzew - odpowiedział ptak.

Jednakże poszedł chętnie, słysząc o prośbie cesarza. Pałac na tą okazję przepięknie udekorowano. Wszyscy byli wytwornie ubrani, a ich wzrok był zwrócony na małego ptaka. Władca dał mu znak, by rozpoczął koncert. Słowik zaczął śpiewać tak ujmująco, że do oczu króla napłynęły łzy, które spływały po jego policzkach. Pieśń stawała się coraz bardziej wzruszająca i dotykała serca każdego słuchacza. Od tej pory ptak mieszkał na dworze w swojej własnej klatce. Był wypuszczany dwa razy w ciągu dnia i raz w nocy.

Obsługiwało go dwunastu służących. Każdy trzymał za jedwabną nić, przywiązaną do nogi słowika. Z pewnością ptak w takiej sytuacji nie cieszył się pełną wolnością. Pewnego dnia cesarz dostał dużą paczkę, na której widniał napis: „Słowik". Gdy ją otworzył, spostrzegł sztucznego słowika, wyglądającego zupełnie jak żywy. Pokryto go w całości diamentami, rubinami i szafirami. Gdy sztucznego ptaka nakręcano, śpiewał tak jak żywy, poruszając przy tym swoim ogonem, który lśnił srebrem i złotem. Cesarz był zauroczony sztucznym słowikiem i stracił zainteresowanie żywym.

Niebawem prawdziwy ptak powrócił do lasu. Pewnego dnia sztuczny ptak popsuł się, ponieważ był za często używany. Cesarz zachorował z żalu. Gdy prawdziwy słowik dowiedział się o stanie zdrowia cesarza, szybko przybył do pałacu.

Cesarz, słysząc jego głos, szybko wyzdrowiał. Słowik zgodził się śpiewać władcy o wszystkich wydarzeniach w cesarstwie i z tego też powodu cesarz uchodził za najmądrzejszego władcę, jaki kiedykolwiek żył.

" Żaby i studnia "

Pewnego razu żyły sobie dwie żaby na bagnach. Były bliskimi przyjaciółkami i wszystko robiły razem, w każdej sytuacji. Nadeszło lato i bagna wysychały z dnia na dzień. Jedna z żab powiedziała:
- Musimy szukać jakiegoś innego miejsca do życia, ponieważ bagna wysychają i nie przeżyjemy.

Druga żaba odpowiedziała:
- Masz rację, przyjaciółko.
I niezwłocznie opuściły bagna, by poszukać innego miejsca, koniecznie wilgotnego, idealnego dla żab. Spędziły wiele czasu na poszukiwaniach odpowiedniego terenu. Ostatecznie dotarły do głębokiej studni i cieszyły się na myśl o nowym domu. Jedna z nich spojrzała w dół i powiedziała do drugiej:
- Wygląda to na ładne, chłodne miejsce. Wskoczmy więc i zamieszkajmy tam.
Lecz druga, mądrzejsza żaba odpowiedziała:
- Nie tak szybko, przyjaciółko. Przypuśćmy, że studnia wyschnie tak jak bagno i w jaki sposób się z niej wtedy wydostaniemy?
Pierwsza żaba przyznała drugiej rację i ostatecznie nie wskoczyły do studni.

POMYŚL, ZANIM SKOCZYSZ

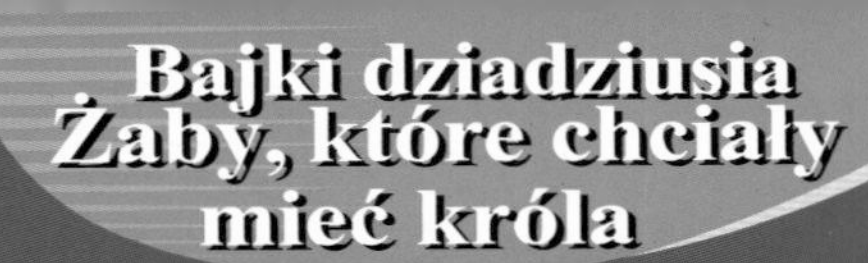

" Żaby, które chciały mieć króla "

Pewnego razu żyły sobie na bagnach żaby. Pomyślały, że powinny mieć króla i odpowiednią konstytucję.

- O potężny Jowiszu! - zawołały. - Ześlij nam króla, który będzie nami rządził i zaprowadzi między nami porządek. Jowisz zaśmiał się z ich skrzeczenia i zesłał ogromny pień, który spadł z pluskiem do bagna. Żaby początkowo bały się, lecz po jakimś czasie, widząc, że pień się nie porusza, jedna lub dwie spośród najmądrzejszych z nich podeszły do pnia.

W końcu ośmieliły się go dotknąć, lecz nadal się nie ruszał. Żaby wskoczyły na pień, zaczęły na nim tańczyć, wskakiwać i zeskakiwać z niego. Na pewien czas powróciły do swoich codziennych spraw, nie zwracając najmniejszej uwagi na swojego nowego Króla Pnia, leżącego pośrodku.
Jednakże ta sytuacja nie satysfakcjonowała żab, więc wysłały kolejną prośbę do Jowisza, mówiąc:
- Potrzebujemy prawdziwego króla, takiego, który naprawdę będzie nami rządził.
To rozzłościło Jowisza tak mocno, że zesłał między nich wielkiego bociana, który od razu zabrał się do pracy, zjadając je jedną po drugiej. Żaby zaczęły żałować swoich próśb, lecz było już za późno.

LEPSZA ŻADNA WŁADZA NIŻ WŁADZA OKRUTNA

" Krzesiwo "

Pewnego razu szedł sobie żołnierz z plecakiem i mieczem u boku. Wracał z wojny prosto do domu. Napotkał przy drodze starą wiedźmę. Jej dolna warga zwisała aż do piersi. Wiedźma zatrzymała żołnierza i powiedziała:

- Jesteś żołnierzem, więc będziesz miał tyle pieniędzy, ile tylko zapragniesz, jeżeli zrobisz to, co powiem.
- Dziękuję ci, stara wiedźmo - powiedział żołnierz.

Stara kobieta powiedziała mu, by wspiął się na czubek drzewa. Wyjaśniła mu również, że wewnątrz dziupli są trzy komnaty pełne wielkich skarbów. Słysząc o skarbie, żołnierz gotowy był wspinać się na drzewo. Stara wiedźma powiedziała mu również, że w jednej z komnat powinno być pudełko pełne krzesiwa. Poprosiła go, aby przyniósł jej to pudełko. Żołnierz zgodził się bez wahania na wszystko, o co go poprosiła. Kiedy żołnierz przygotowywał się do wspinaczki na drzewo, kobieta dodała, że w każdej z trzech komnat znajdzie psa, który z pewnością nie wyrządzi mu krzywdy.

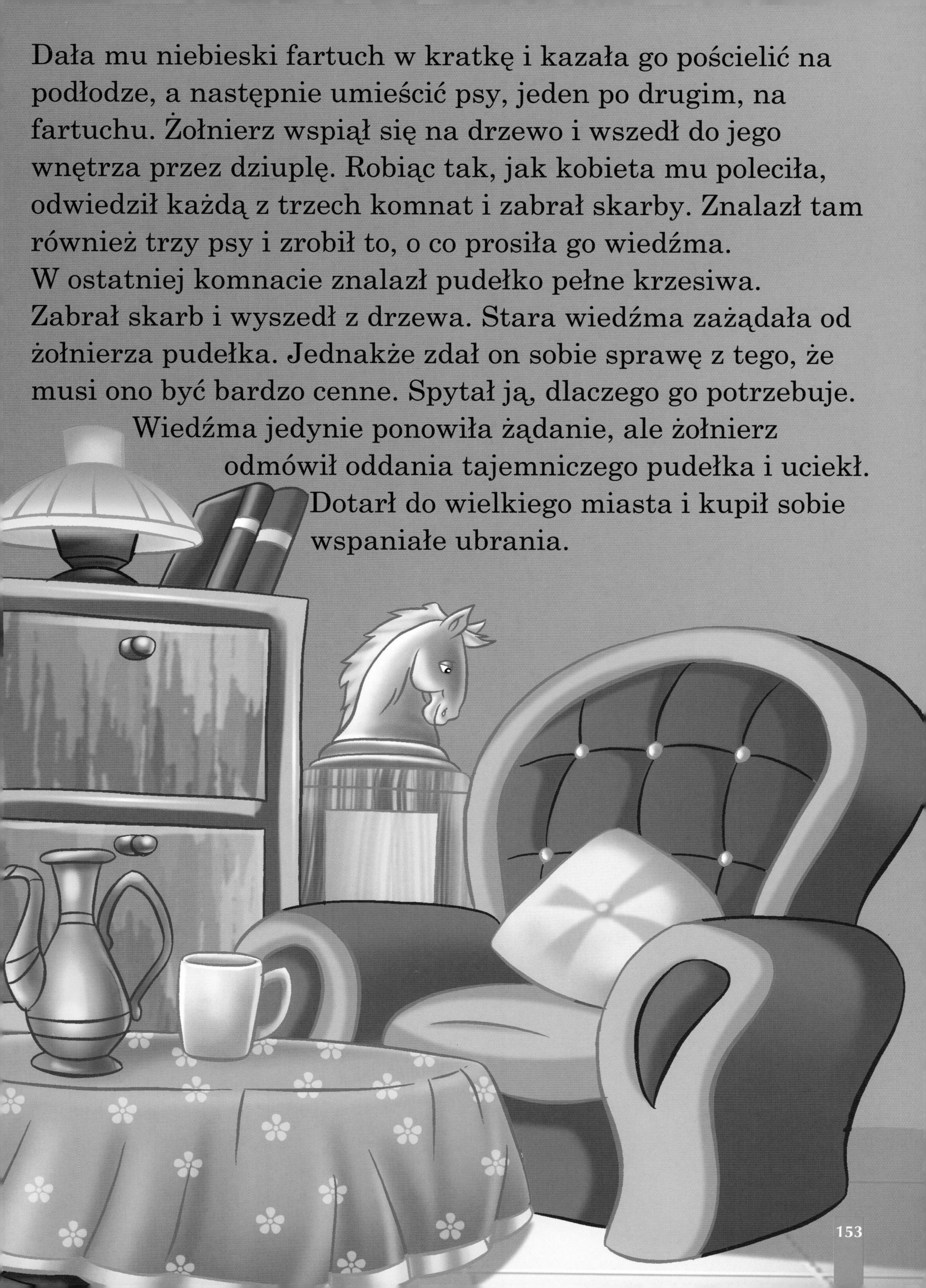

Dała mu niebieski fartuch w kratkę i kazała go pościelić na podłodze, a następnie umieścić psy, jeden po drugim, na fartuchu. Żołnierz wspiął się na drzewo i wszedł do jego wnętrza przez dziuplę. Robiąc tak, jak kobieta mu poleciła, odwiedził każdą z trzech komnat i zabrał skarby. Znalazł tam również trzy psy i zrobił to, o co prosiła go wiedźma.
W ostatniej komnacie znalazł pudełko pełne krzesiwa. Zabrał skarb i wyszedł z drzewa. Stara wiedźma zażądała od żołnierza pudełka. Jednakże zdał on sobie sprawę z tego, że musi ono być bardzo cenne. Spytał ją, dlaczego go potrzebuje. Wiedźma jedynie ponowiła żądanie, ale żołnierz odmówił oddania tajemniczego pudełka i uciekł. Dotarł do wielkiego miasta i kupił sobie wspaniałe ubrania.

Widząc, że był on bardzo zamożnym człowiekiem, posiadającym wiele złota, wielu ludzi przyjaźniło się z nim. Żołnierz zamieszkał w pięknym domu. Dowiedział się od ludzi, że w wieży mieszka przepiękna królewna. Słysząc o jej urodzie, zapragnął się z nią widzieć, ale było to niemożliwe. W końcu zabrakło mu pieniędzy i był zmuszony mieszkać na ciemnym poddaszu. Podpalił krzesiwo, aby oświetlić pokój, a jeden z psów, którego napotkał w komnatach, pojawił się przed nim. Wtedy też żołnierz dowiedział się o wartości pudełka.

Za jego pomocą mógł wezwać wszystkie trzy psy i rozkazać im, aby zrobiły to, o co je poprosi. Psy spełniały wszystkie jego życzenia. Pewnego dnia żołnierz z całych sił zapragnął zobaczyć księżniczkę. Uderzył w pudełko i rozkazał psu, by przyniósł ją do niego. Zwierzę wykonało polecenie i przyniosło ją, śpiącą, na swoich plecach. Kiedy żołnierz zobaczył księżniczkę, zakochał się w niej, oczarowany jej urodą. Pocałował ją i rozkazał psu, by odniósł dziewczynę z powrotem do wieży. Następnego ranka księżniczka powiedziała swoim rodzicom, że miała dziwny sen i opowiedziała historię o zeszłej nocy, kiedy to została zabrana do żołnierza. Kolejnej nocy, gdy księżniczka spała, królewska para uważnie obserwowała córkę. Pies przybył ponownie, by zabrać ją do żołnierza. Tak działo się przez kilka nocy, aż w końcu królewska para zdołała odkryć, że za dziwnymi snami księżniczki kryje się żołnierz.

Żołnierza wtrącono do więzienia i skazano na śmierć. W dniu egzekucji spostrzegł chłopca, będącego szewcem, i wysłał go po pudełko. Chłopiec zrobił to, o co został poproszony. Żołnierz uderzył w pudełko i pojawiły się trzy psy. Podrzuciły sędziego i radnych oraz króla i królową w powietrze. Wszystkim zaimponowało to, co mógł zrobić z psami. Niedługo potem żołnierz i księżniczka pobrali się.

" Wilk i jagnię "

Pewnego razu było sobie niesforne jagnię. Jego matka bardzo kochała swoje dziecko i nieustannie martwiła się o jego bezpieczeństwo. Zawsze je ostrzegała:

- Bądź ostrożny! Nie wolno ci wchodzić do lasu. Żyją tam dzikie zwierzęta. Mogą ci zagrozić. Mogą cię nawet zjeść.

Lecz krnąbrne jagnię nigdy nie słuchało. Pewnego dnia, jak zwykle, jagnię weszło głęboko w las. Tam spotkało wilka.

- Jagnię!

"To mój szczęśliwy dzień!" - pomyślał wilk, podchodząc do jagnięcia, które nie zdawało sobie sprawy z obecności wilka. W pobliżu nie było nikogo, kto mógłby ocalić jagnię. Wtedy wilk powiedział:

- Żywisz się na moim pastwisku.

- Nie, dobry panie - odpowiedziało jagnię - nie spróbowałem jeszcze trawy.

Wilk rzekł:

- Lecz jestem pewien, że piłeś z mojej studni.

- Nie - odpowiedziało jagnię - nie piłem wody, ponieważ jedynym pożywieniem dla mnie jest mleko matki.

- Obojętne, cokolwiek nie powiesz - odparł wilk - i tak nie odejdę bez kolacji. Wtedy skoczył na jagnię i pożarł je bez słowa.

TAKI Z TEGO MORAŁ MAMY,
TRZEBA ZAWSZE SŁUCHAĆ MAMY

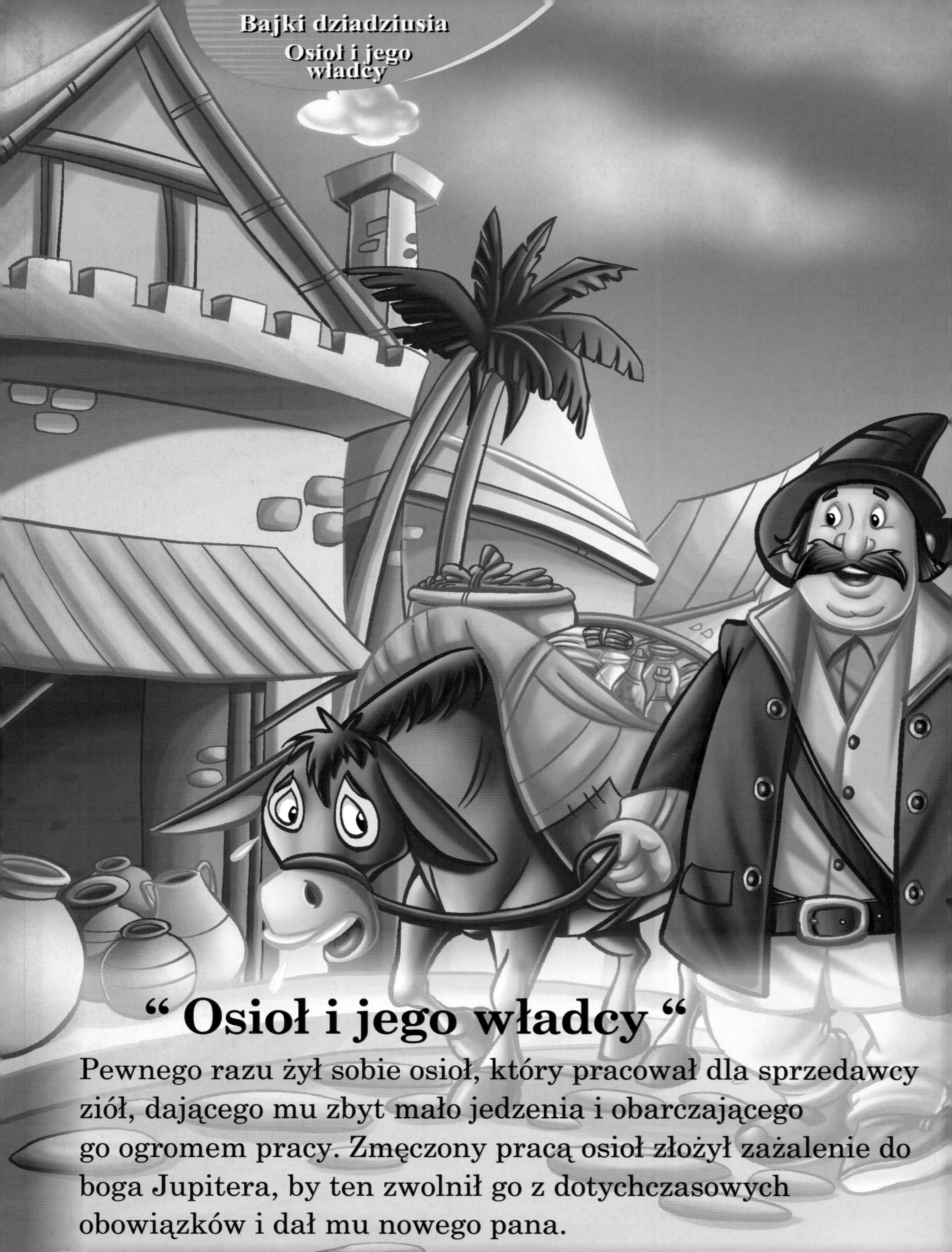

“ Osioł i jego władcy “

Pewnego razu żył sobie osioł, który pracował dla sprzedawcy ziół, dającego mu zbyt mało jedzenia i obarczającego go ogromem pracy. Zmęczony pracą osioł złożył zażalenie do boga Jupitera, by ten zwolnił go z dotychczasowych obowiązków i dał mu nowego pana.

Jupiter ostrzegł osła, że będzie żałował tej zmiany, po czym posłał go do pracy u murarza. Krótko po tym, gdy osioł spostrzegł, że ma cięższą pracę do wykonywania i więcej ciężarów do przenoszenia na placu budowy, poprosił o ponowną zmianę właściciela. Jupiter powiedział mu, że jest to ostatni raz, gdy zmieni mu pana. Obwieścił, że sprzeda go do garbarza.Osioł zorientował się, że trafił w jeszcze gorsze ręce i gdy dowiedział się o zawodzie nowego pana, powiedział:

- Byłoby dla mnie lepiej zostać zagłodzonym przez pierwszego lub przepracować się u drugiego z moich panów, niż być kupionym przez obecnego właściciela, który nawet po mojej śmierci zrobi ze mnie użytek i wygarbuje moją skórę.

LEPSZE JEST WROGIEM DOBREGO

Spis treści